사고력 수학 소마가 개발한 연산학습의 새 기준!!

소마의 **마**술같은 원리**셈**

소마셈

C6
3학년

수학이 즐거워지는 특별한 수학교실
소마에서 개발한 연산교재 소마셈

소마셈

2002년 대치소마 개원 이후로 끊임없는 교재 연구와 교구의 개발은 소마의 자랑이자 자부심입니다. 교구, 게임, 토론 등의 다양한 활동식 수업으로 스스로 문제해결능력을 키우고, 아이들이 수학에 대한 흥미와 자신감을 가질 수 있도록 차별성 있는 수업을 해 온 소마에서 연산 학습의 새로운 패러다임을 제시합니다.

연산 교육의 현실

연산 교육의 가장 큰 폐해는 '초등 고학년 때 연산이 빠르지 않으면 고생한다.'는 기존 연산 학습지의 왜곡된 마케팅으로 인해 단순 반복을 통한 기계적 연산을 강조하는 것입니다. 하지만, 기계적 반복을 위주로 하는 연산은 개념과 원리가 빠진 연산 학습으로써 아이들이 수학을 싫어하게 만들 뿐 아니라 사고의 확장을 막는 학습방법입니다.

초등수학 교과과정과 연산

초등교육과정에서는 문자와 기호를 사용하지 않고 말로 풀어서 연산의 개념과 원리를 설명하다가 중등교육과정부터 문자와 기호를 사용합니다. 교과서를 살펴보면 모든 연산의 도입에 원리가 잘 설명되어 있습니다. 요즘 현실에서는 연산의 원리를 묻는 서술형 문제도 많이 출제되고 있는데 연산은 연습이 우선이라는 인식이 아직도 지배적입니다.

연산 학습은 어떻게?

연산 교육은 별도로 떼어내어 추상적인 숫자나 기호만 가지고 다뤄서는 절대로 안됩니다. 구체물을 가지고 생각하고 이해한 후, 연산 연습을 하는 것이 필요합니다. 또한, 속도보다 정확성을 위주로 학습하여 실수를 극복할 수 있는 좋은 습관을 갖추는 데에 초점을 맞춰야 합니다.

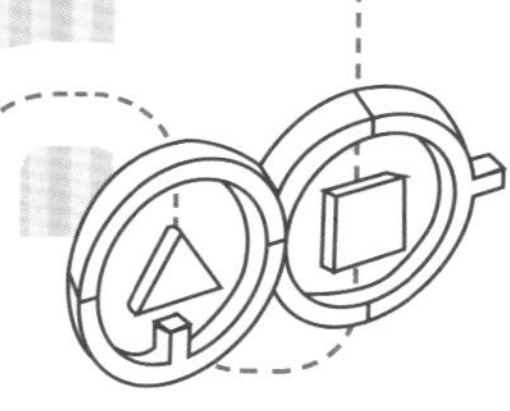

소마셈 연산학습 방법

10이 넘는 한 자리 덧셈 구체물을 통한 개념의 이해

덧셈과 뺄셈의 기본은 수를 세는 데에 있습니다. 8+4는 8에서 1씩 4번을 더 센 것이라는 개념이 중요합니다. 10의 보수를 이용한 받아 올림을 생각하면 8+4는 (8+2)+2지만 연산 공부를 시작할 때에는 덧셈의 기본 개념에 충실한 것이 좋습니다. 이 책은 구체물을 통해 개념을 이해할 수 있도록 구체적인 예를 든 연산 문제로 구성하였습니다.

가로셈 가로셈을 통한 수에 대한 사고력 기르기

세로셈이 잘못된 방법은 아니지만 연산의 원리는 잊고 받아 올림한 숫자는 어디에 적어야 하는지만을 기억하여 마치 공식처럼 풀게 합니다. 기계적으로 반복하는 연습은 생각없이 연산을 하게 만듭니다. 가로셈을 통해 원리를 생각하고 수를 쪼개고 붙이는 등의 과정에서 키워질 수 있는 수에 대한 사고력도 매우 중요합니다.

곱셈구구 곱셈도 개념 이해를 바탕으로

곱셈구구는 암기에만 초점을 맞추면 부작용이 큽니다. 곱셈은 덧셈을 압축한 것이라는 원리를 이해하며 구구단을 외움으로써 연산을 빨리 할 수 있다는 것을 알게 해야 합니다. 곱셈구구를 외우는 것도 중요하지만 곱셈의 의미를 정확하게 아는 것이 더 중요합니다. 4×3을 할 줄 아는 학생이 두 자리 곱하기 한 자리는 안 배워서 45×3을 못 한다고 말하는 일은 없도록 해야 합니다.

소마셈 학습가이드

K단계 (5, 6, 7세) • 연산을 시작하는 단계

뛰어세기, 거꾸로 뛰어세기를 통해 수의 연속한 성질(linearity)을 이해하고 덧셈, 뺄셈을 공부합니다. 각 권의 호흡은 짧지만 일관성 있는 접근으로 자연스럽게 나선형식 반복학습의 효과가 있도록 하였습니다.

학습대상 : 연산을 시작하는 아이와 한 자리 수 덧셈을 구체물(손가락 등)을 이용하여 해결하는 아이

학습목표 : 수와 연산의 튼튼한 기초 만들기

P단계 (7세, 1학년) • 받아올림이 있는 덧셈, 뺄셈을 배울 준비를 하는 단계

5, 6, 9 뛰어세기를 공부하면서 10을 이용한 더하기, 빼기의 편리함을 알도록 한 후, 가르기와 모으기의 집중학습으로 보수 익히기, 10의 보수를 이용한 덧셈, 뺄셈의 원리를 공부합니다.

학습대상 : 받아올림이 없는 한 자리 수의 덧셈을 할 줄 아는 학생

학습목표 : 받아올림이 있는 연산의 토대 만들기

A단계 (1학년) • 초등학교 1학년 교과과정 연산

받아올림이 있는 한 자리 수의 덧셈, 뺄셈은 연산 전체에 매우 중요한 단계입니다. 원리를 정확하게 알고 A1에서 A4까지 총 4권에서 한 자리 수의 연산을 다양한 과정으로 연습하도록 하였습니다.

학습대상 : 초등학교 1학년 수학교과과정을 공부하는 학생

학습목표 : 10의 보수를 이용한 받아올림이 있는 덧셈, 뺄셈

B단계 (2학년) • 초등학교 2학년 교과과정 연산

두 자리, 세 자리 수의 연산을 다룬 후 곱셈, 나눗셈을 다루는 과정에서 곱셈구구의 암기를 확인하기보다는 곱셈구구를 외우는데 도움이 되고, 곱셈, 나눗셈의 원리를 확장하여 사고할 수 있도록 하는데 초점을 맞추었습니다.

학습대상 : 초등학교 2학년 수학교과과정을 공부하는 학생

학습목표 : 덧셈, 뺄셈의 완성 / 곱셈, 나눗셈의 원리를 정확하게 알고 개념 확장

C단계 (3학년) • 초등학교 3, 4학년 교과과정 연산

B단계까지의 소마셈은 다양한 문제를 통해서 학생들이 즐겁게 연산을 공부하고 원리를 정확하게 알게 하는데 초점을 맞추었다면, C단계는 3학년 과정의 큰 수의 연산과 4학년 과정의 혼합 계산, 괄호를 사용한 식 등, 필수 연산의 연습을 충실히 할 수 있도록 하였습니다.

학습대상 : 초등학교 3, 4학년 수학교과과정을 공부하는 학생

학습목표 : 큰 수의 곱셈과 나눗셈, 혼합 계산

D단계 (4학년) • 초등학교 4, 5학년 교과과정 연산

분모가 같은 분수의 덧셈과 뺄셈, 소수의 덧셈과 뺄셈을 공부하여 초등 4학년 과정 연산을 마무리하고 초등 5학년 연산과정에서 가장 중요한 약수와 배수, 분모가 다른 분수의 덧셈과 뺄셈을 충분히 익힐 수 있도록 하였습니다.

학습대상 : 초등학교 4, 5학년 수학교과과정을 공부하는 학생

학습목표 : 분모가 같은 분수의 덧셈과 뺄셈, 소수의 덧셈과 뺄셈, 분모가 다른 분수의 덧셈과 뺄셈

소마셈 단계별 학습내용

K단계 추천연령 : 5, 6, 7세

단계	K1	K2	K3	K4
권별 주제	10까지의 더하기와 빼기 1	20까지의 더하기와 빼기 1	10까지의 더하기와 빼기 2	20까지의 더하기와 빼기 2
단계	K5	K6	K7	K8
권별 주제	10까지의 더하기와 빼기 3	20까지의 더하기와 빼기 3	20까지의 더하기와 빼기 4	7까지의 가르기와 모으기

P단계 추천연령 : 7세, 1학년

단계	P1	P2	P3	P4
권별 주제	30까지의 더하기와 빼기 5	30까지의 더하기와 빼기 6	30까지의 더하기와 빼기 10	30까지의 더하기와 빼기 9
단계	P5	P6	P7	P8
권별 주제	9까지의 가르기와 모으기	10 가르기와 모으기	10을 이용한 더하기	10을 이용한 빼기

A단계 추천연령 : 1학년

단계	A1	A2	A3	A4
권별 주제	덧셈구구	뺄셈구구	세 수의 덧셈과 뺄셈	□가 있는 덧셈과 뺄셈
단계	A5	A6	A7	A8
권별 주제	(두 자리 수)+(한 자리 수)	(두 자리 수)−(한 자리 수)	두 자리 수의 덧셈과 뺄셈	□가 있는 두 자리 수의 덧셈과 뺄셈

B단계 추천연령 : 2학년

단계	B1	B2	B3	B4
권별 주제	(두 자리 수)+(두 자리 수)	(두 자리 수)−(두 자리 수)	세 자리 수의 덧셈과 뺄셈	덧셈과 뺄셈의 활용
단계	B5	B6	B7	B8
권별 주제	곱셈	곱셈구구	나눗셈	곱셈과 나눗셈의 활용

C단계 추천연령 : 3학년

단계	C1	C2	C3	C4
권별 주제	두 자리 수의 곱셈	두 자리 수의 곱셈과 활용	두 자리 수의 나눗셈	세 자리 수의 나눗셈과 활용
단계	C5	C6	C7	C8
권별 주제	큰 수의 곱셈	큰 수의 나눗셈	혼합 계산	혼합 계산의 활용

D단계 추천연령 : 4학년

단계	D1	D2	D3	D4
권별 주제	분모가 같은 분수의 덧셈과 뺄셈(1)	분모가 같은 분수의 덧셈과 뺄셈(2)	소수의 덧셈과 뺄셈	약수와 배수
단계	D5	D6		
권별 주제	분모가 다른 분수의 덧셈과 뺄셈(1)	분모가 다른 분수의 덧셈과 뺄셈(2)		

1

수 이야기

생활 속의 수 이야기를 통해 수와 연산의 이해를 돕습니다. 수의 역사나 재미있는 연산 문제를 접하면서 수학이 재미있는 공부가 되도록 합니다.

2

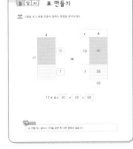

원리

가장 기본적인 연산의 원리를 소개합니다. 이때 다양한 방법을 제시하되 가장 효과적인 방법을 적용할 수 있도록 단계적으로 접근하여 충분한 원리의 이해를 돕습니다.

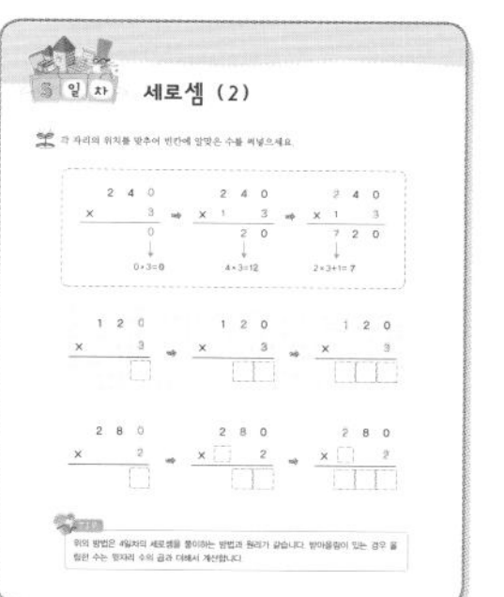

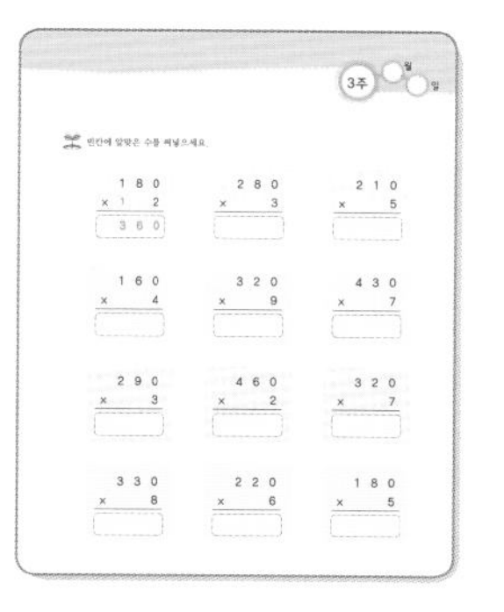

연습

원리의 이해를 바탕으로 연산이 익숙해지도록 연습합니다. 먼저 반복적인 연산 연습 후에 나아가 배운 원리를 활용하여 확장된 문제를 해결합니다.

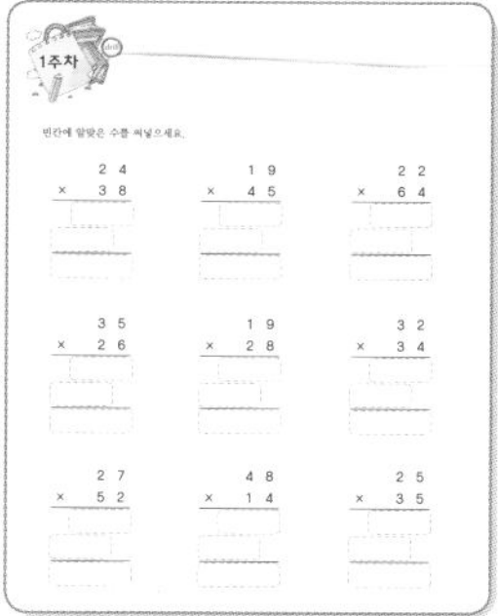

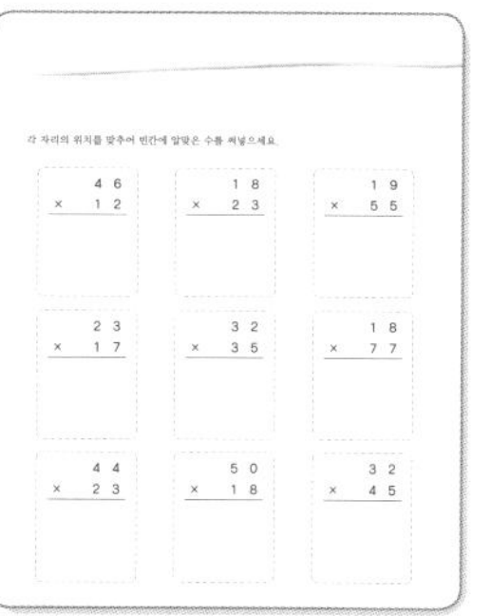

Drill (보충학습)

주차별 주제에 대한 연습이 더 필요한 경우 보충학습을 활용합니다.

연산과정의 확인이 필수적인 주제는 Drill의 양을 2배로 담았습니다.

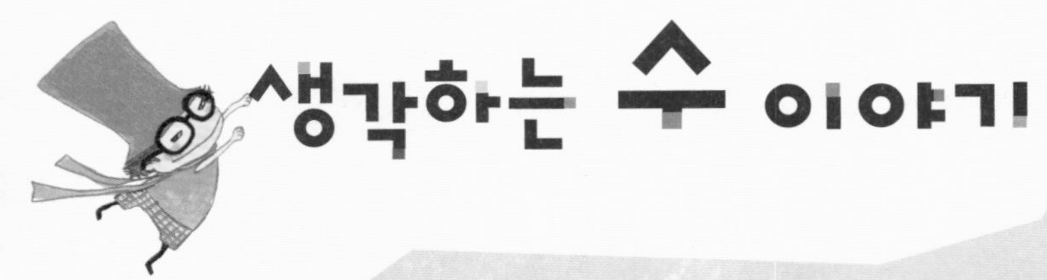

피라미드 곱셈

숫자 1을 사용한 다음 곱셈식을 살펴보면서 규칙을 찾아봅시다.

$$1 \times 1 = 1$$
$$11 \times 11 = 121$$
$$111 \times 111 = 12321$$
$$1111 \times 1111 = 1234321$$
$$11111 \times 11111 = 123454321$$
$$\vdots$$
$$11111111 \times 11111111 = \square$$

규칙을 찾았나요?
위와 같은 규칙성을 가지는 이유는 더할 때 1이 겹쳐지는 수가 수의 개수만큼 늘어났다가 줄어들기 때문이에요.
따라서 빈칸에 들어갈 수는 123456787654321이 된답니다.

$$\begin{array}{r} 11 \\ \times\ 11 \\ \hline 11 \\ 11 \\ \hline 121 \end{array} \qquad \begin{array}{r} 111 \\ \times\ 111 \\ \hline 111 \\ 111 \\ 111 \\ \hline 12321 \end{array}$$

소마셈 C6 – 1주차

나머지가 없는 나누기 두 자리 수

몇십의 나눗셈

다음과 같이 몇십의 나눗셈을 해 보세요.

$60 \div 30 = $ 2

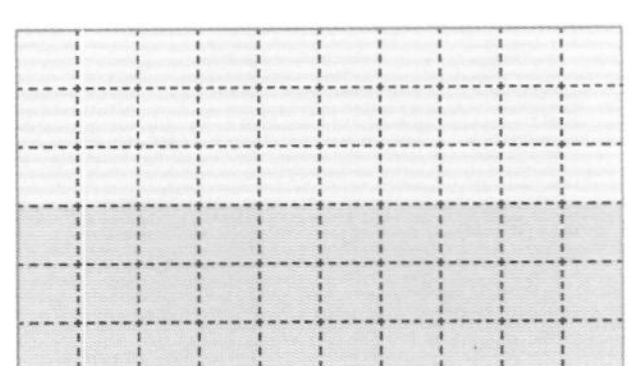

60을 30칸씩 다른 색을 칠하면 2가지 색을 칠할 수 있습니다.

$80 \div 20 = \square$

$90 \div 30 = \square$

$60 \div 20 = \square$

$80 \div 40 = \square$

$120 \div 20 = \square$

$420 \div 60 = \square$

TIP

보기의 $60 \div 30$의 몫은 $6 \div 3$과 같이 10개씩 묶음의 수로 생각하면 몫을 쉽게 구할 수 있습니다.

□ 안에 알맞은 수를 써넣으세요.

140 ÷ 20 = [7]

180 ÷ 30 = □

160 ÷ 20 = □

240 ÷ 30 = □

720 ÷ 80 = □

640 ÷ 80 = □

450 ÷ 50 = □

270 ÷ 90 = □

480 ÷ 80 = □

360 ÷ 40 = □

630 ÷ 70 = □

350 ÷ 50 = □

(두 자리 수) ÷ (두 자리 수)

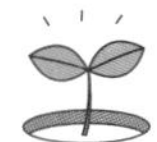

몫을 어림하여 (두 자리 수) ÷ (두 자리 수)를 계산하는 방법을 알아보세요.

$$17\overline{)68}$$ (★ 자리: 6 위)

(×)

17>6이므로 ★자리에 몫을 쓸 수 없습니다.

$$17\overline{)68}$$ (★ 자리: 8 위)

(○)

17을 20으로, 68을 70으로 어림하면 몫은 70÷20에서 3또는 4로 예상할 수 있습니다.

$$17\overline{)68}$$ (★ 자리: 8 위)

➡

$$\begin{array}{r} 3 \\ 17\overline{)68} \\ 51 \\ \hline 17 \end{array}$$

(×)

나머지와 나누는 수가 같으므로 한번 더 나눌 수 있습니다.

몫을 1 크게 합니다.

➡

$$\begin{array}{r} 4 \\ 17\overline{)68} \\ 68 \\ \hline 0 \end{array}$$

(○)

나누는 수가 두 자리 수일 경우 몫을 생각하는 것을 어려워합니다. 앞에서 배운 '몇십으로 나누기'를 이용하여 몫을 예상할 수 있도록 합니다.

 빈칸에 알맞은 수를 써넣으세요.

$15 \overline{)45}$ → 몫 3, 45, 나머지 0

$18 \overline{)72}$

$29 \overline{)87}$

$21 \overline{)84}$

$34 \overline{)68}$

$16 \overline{)96}$

$47 \overline{)94}$

$23 \overline{)69}$

$13 \overline{)91}$

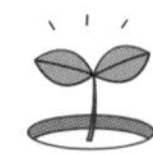 빈칸에 알맞은 수를 써넣으세요.

23)46 → 몫: 2, 46, 나머지: 0

14)84 → 몫: □, □, 나머지: □

27)81 → 몫: □, □, 나머지: □

15)90 → 몫: □, □, 나머지: □

25)75 → 몫: □, □, 나머지: □

36)72 → 몫: □, □, 나머지: □

19)57 → 몫: □, □, 나머지: □

24)96 → 몫: □, □, 나머지: □

32)96 → 몫: □, □, 나머지: □

(세 자리 수) ÷ (두 자리 수) (1)

각 자리의 위치를 맞추어 빈칸에 알맞은 수를 써넣으세요.

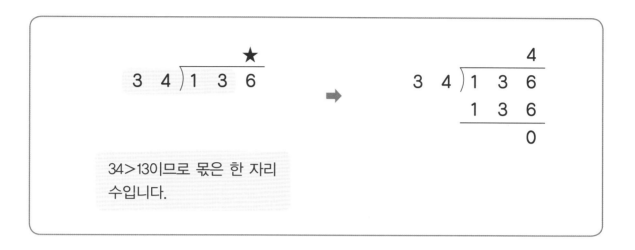

34)136, 몫의 자리: ★

34>13이므로 몫은 한 자리 수입니다.

➡

$$\begin{array}{r} 4 \\ 34\overline{)136} \\ 136 \\ \hline 0 \end{array}$$

29)174 = □ … 빈칸: □, □

17)119

28)196

19)152

27)135

36)144

 빈칸에 알맞은 수를 써넣으세요.

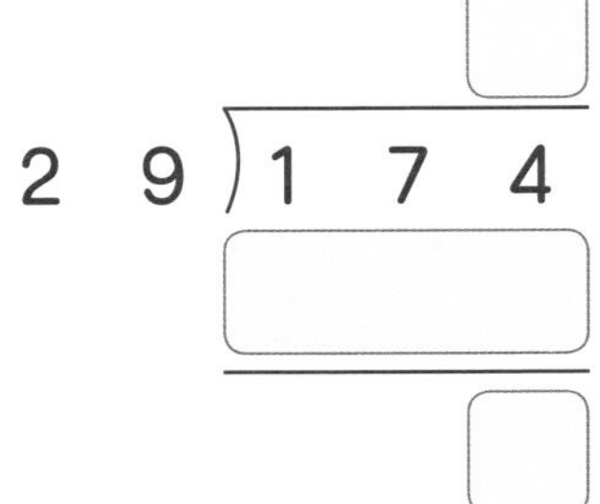

29)174

18)108

26)234

41)246

32)128

24)144

33)231

62)186

53)318

(세 자리 수) ÷ (두 자리 수) (2)

각 자리의 위치를 맞추어 빈칸에 알맞은 수를 써넣으세요.

$$18\overline{)576}$$ (몫 자리: ★★)

18<57이므로 몫은 두 자리 수입니다.

→ $$\begin{array}{r} 3 \\ 18\overline{)576} \\ 54 \\ \hline 36 \end{array}$$

→ $$\begin{array}{r} 32 \\ 18\overline{)576} \\ 54 \\ \hline 36 \\ 36 \\ \hline 0 \end{array}$$

$$16\overline{)384}$$ → $$\begin{array}{r} \square\square \\ 16\overline{)384} \\ \square \\ \hline \square \end{array}$$ → $$\begin{array}{r} \square\square \\ 16\overline{)384} \\ \square \\ \hline \square \\ \square \\ \hline \square \end{array}$$

$$24\overline{)648}$$ → $$\begin{array}{r} \square\square \\ 24\overline{)648} \\ \square \\ \hline \square \end{array}$$ → $$\begin{array}{r} \square\square \\ 24\overline{)648} \\ \square \\ \hline \square \\ \square \\ \hline \square \end{array}$$

 빈칸에 알맞은 수를 써넣으세요.

$$\begin{array}{r} 61 \\ 12\overline{)732} \\ 72 \\ \hline 12 \\ 12 \\ \hline 0 \end{array}$$

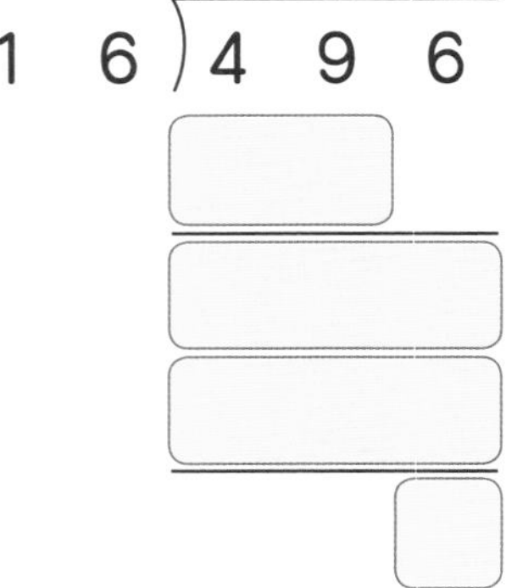

16)4 9 6

23)5 0 6

28)8 9 6

14)9 9 4

17)8 8 4

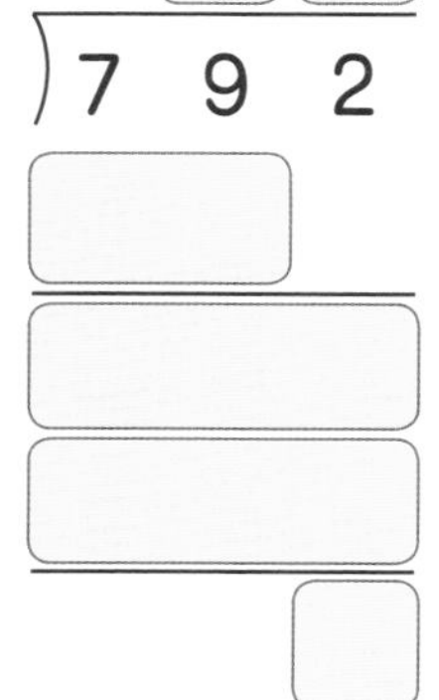

36)7 9 2

15)1 9 5

26)8 3 2

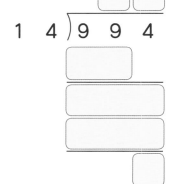

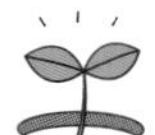 빈칸에 알맞은 수를 써넣으세요.

$$
\begin{array}{r}
29 \\
25\overline{)725} \\
50 \\
\hline
225 \\
225 \\
\hline
0
\end{array}
$$

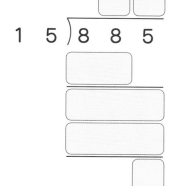

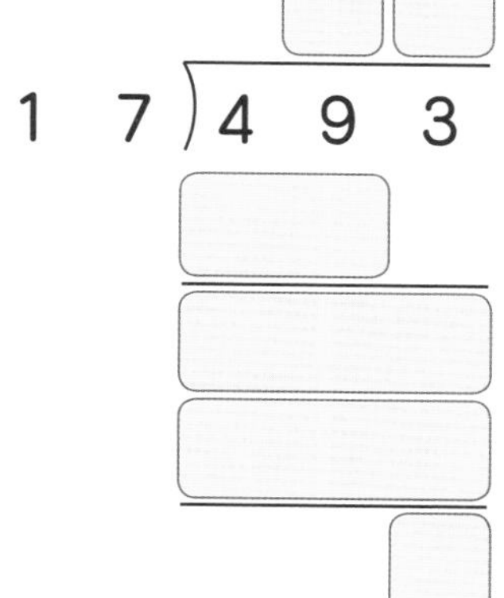

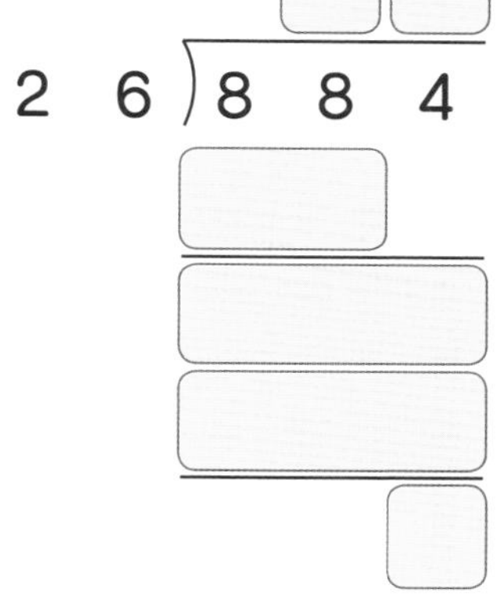

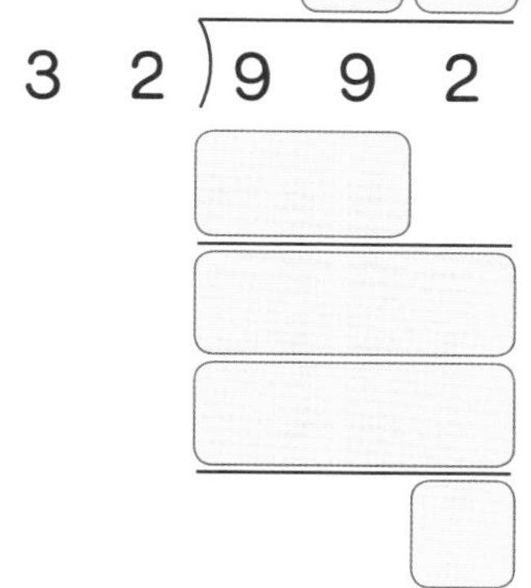

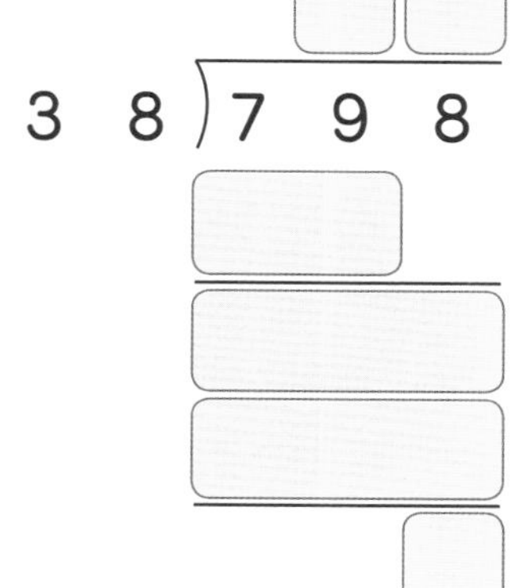

$$
29\overline{)725}
$$

문장제

다음을 읽고 알맞은 나눗셈식을 쓰고, 답을 구하세요.

강당에 남학생이 37명, 여학생이 41명 있습니다. 이 학생들을 13명씩 한 모둠으로 만들려면, 모두 몇 모둠을 만들 수 있을까요?

식 : 37 + 41 = 78, 78 ÷ 13 = 6

 모둠

홍시 92개를 23개씩 나누어 먹으려고 합니다. 몇 명이 나누어 먹을 수 있을까요?

식 :

 명

 다음을 읽고 알맞은 나눗셈식을 쓰고, 답을 구하세요.

영훈이네 학교에서는 126개의 축구공을 14학급에 똑같이 나누어 주려고 합니다. 한 한급에 축구공을 몇 개씩 주면 될까요?

식 :

 개

과일 가게에 사과 184개가 있습니다. 그 중에서 16개는 썩어서 버렸고, 남은 사과를 한 상자에 14개씩 담아서 팔려고 합니다. 모두 몇 상자에 담을 수 있을까요?

식 :

 상자

다음을 읽고 알맞은 나눗셈식을 쓰고, 답을 구하세요.

꽃집에 튤립이 96송이 있습니다. 튤립을 12송이씩 묶어서 꽃다발을 만들려고 합니다. 꽃다발을 모두 몇 개 만들 수 있을까요?

식 : ______ ☐ 개

수영이는 종이학 267마리가 있습니다. 그 중에서 15마리는 동생에게 주고, 남은 종이학을 18마리씩 포장하여 친구들에게 나누어 주려고 합니다. 몇 명의 친구들에게 줄 수 있을까요?

식 : ______ ☐ 명

빈 병 325개를 상자에 담으려고 합니다. 한 상자에 25개씩 담는다면 필요한 상자는 모두 몇 개일까요?

식 : ______ ☐ 개

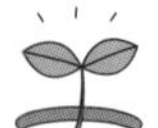 다음을 읽고 알맞은 나눗셈식을 쓰고, 답을 구하세요.

양계장에서 달걀 270개를 한 판에 30개씩 담았습니다. 달걀은 모두 몇 판일까요?

식 :

판

찹쌀떡이 8개씩 7줄로 포장되어 있습니다. 14명의 친구들이 똑같이 나누어 먹으려면 한 사람이 몇 개씩 먹게 될까요?

식 :

개

운동장에 여학생 94명과 남학생 98명이 있습니다. 이 학생들을 16명씩 한 팀으로 만들려고 합니다. 몇 팀을 만들 수 있을까요?

식 :

팀

Note

소마셈 C6 – 2주차

나머지가 있는 나누기 두 자리 수(1)

(두 자리 수) ÷ (두 자리 수) (1)

몫을 어림하여 (두 자리 수) ÷ (두 자리 수)를 계산하는 방법을 알아보세요.

$$18\overline{)\,92\,}$$ (★ 자리: 십의 자리 위)

(×)

18>9이므로 ★자리에 몫을 쓸 수 없습니다.

$$18\overline{)\,92\,}$$ (★ 자리: 일의 자리 위)

(○)

18을 20으로, 92를 90으로 어림하면 몫은 90÷20에서 4또는 5로 예상할 수 있습니다.

$$18\overline{)\,92\,}$$ (★ 자리: 일의 자리 위) ➡

$$\begin{array}{r} 4 \\ 18\overline{)\,92} \\ 72 \\ \hline 20 \end{array}$$ (×)

➡ 몫을 1 크게 합니다. (4 → 5)

$$\begin{array}{r} 5 \\ 18\overline{)\,92} \\ 90 \\ \hline 2 \end{array}$$ (○)

나머지가 나누는 수보다 크므로 한번 더 나눌 수 있습니다.

TIP

나머지가 있는 경우의 나눗셈도 나머지가 없는 경우의 몫을 구하는 방법과 같습니다. 앞에서 배운 '몇십으로 나누기'를 이용하여 몫을 예상할 수 있도록 합니다.

 빈칸에 알맞은 수를 써넣으세요.

$13\overline{)66}$ = 5 … 65, 1

$17\overline{)71}$

$26\overline{)79}$

$23\overline{)97}$

$32\overline{)98}$

$16\overline{)83}$

$40\overline{)94}$

$24\overline{)78}$

$18\overline{)96}$

빈칸에 알맞은 수를 써넣으세요.

20)51 → 몫: 2, 40, 나머지: 11

14)92

21)69

13)90

27)88

30)74

16)73

28)60

33)76

(두 자리 수) ÷ (두 자리 수) (2)

각 자리의 위치를 맞추어 빈칸에 알맞은 수를 써넣으세요.

$$\begin{array}{r} 4 \\ 23\overline{)97} \\ \underline{92} \\ 5 \end{array}$$

$16\overline{)81}$

$24\overline{)83}$

$15\overline{)81}$

$21\overline{)70}$

$17\overline{)94}$

$42\overline{)88}$

$32\overline{)99}$

$26\overline{)87}$

 각 자리의 위치를 맞추어 빈칸에 알맞은 수를 써넣으세요.

$14\overline{)92}$

$17\overline{)60}$

$29\overline{)99}$

$34\overline{)70}$

$21\overline{)69}$

$15\overline{)83}$

$35\overline{)88}$

$22\overline{)90}$

$25\overline{)93}$

(세 자리 수) ÷ (두 자리 수) (1)

 각 자리의 위치를 맞추어 빈칸에 알맞은 수를 써넣으세요.

```
        ★
27 ) 152
```

➡

```
          5 …… 몫
27 ) 152
     135
     ---
      17 …… 나머지
```

27>15이므로 몫은 한 자리 수입니다.

```
         □
18 ) 118
     □
     ---
      □
```

```
         □
23 ) 172
     □
     ---
      □
```

```
         □
28 ) 125
     □
     ---
      □
```

```
         □
16 ) 130
     □
     ---
      □
```

```
         □
32 ) 230
     □
     ---
      □
```

```
         □
30 ) 174
     □
     ---
      □
```

 빈칸에 알맞은 수를 써넣으세요.

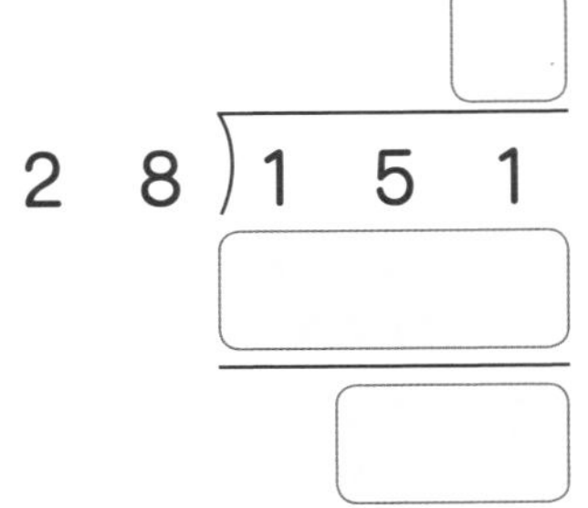

$28\overline{)151}$

$13\overline{)103}$

$24\overline{)152}$

$40\overline{)345}$

$32\overline{)111}$

$21\overline{)130}$

$36\overline{)193}$

$50\overline{)473}$

$54\overline{)437}$

4일차 (세 자리 수) ÷ (두 자리 수) (2)

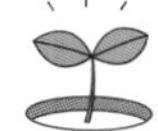

각 자리의 위치를 맞추어 빈칸에 알맞은 수를 써넣으세요.

$$26\overline{)738} \;(\text{몫: } ★★)$$

26<73이므로 몫은 두 자리 수입니다.

→ $26\overline{)738}$, 몫 2, 52, 218

→ $26\overline{)738}$, 몫 28, 52, 218, 208, 10

$17\overline{)393}$ → $17\overline{)393}$ (몫 □□, □, □) → $17\overline{)393}$ (몫 □□, □, □, □, □)

$23\overline{)823}$ → $23\overline{)823}$ (몫 □□, □, □) → $23\overline{)823}$ (몫 □□, □, □, □, □)

 빈칸에 알맞은 수를 써넣으세요.

$$\begin{array}{r} 59 \\ 13\overline{)772} \\ \underline{65} \\ 122 \\ \underline{117} \\ 5 \end{array}$$

17)556

25)631

26)809

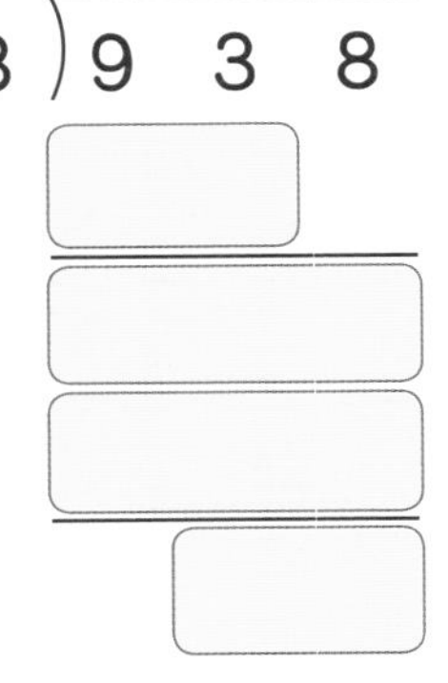

18)938

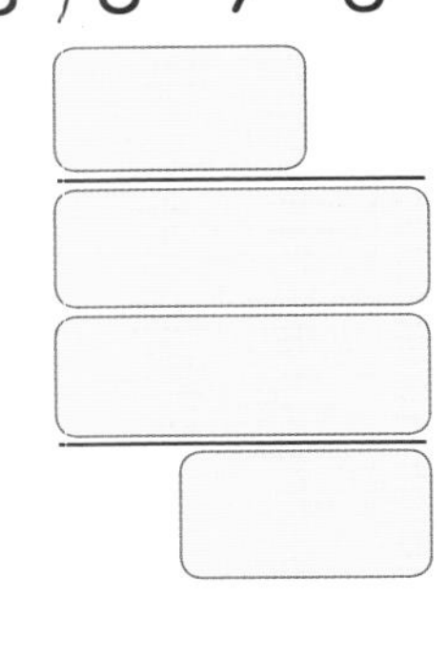

33)873

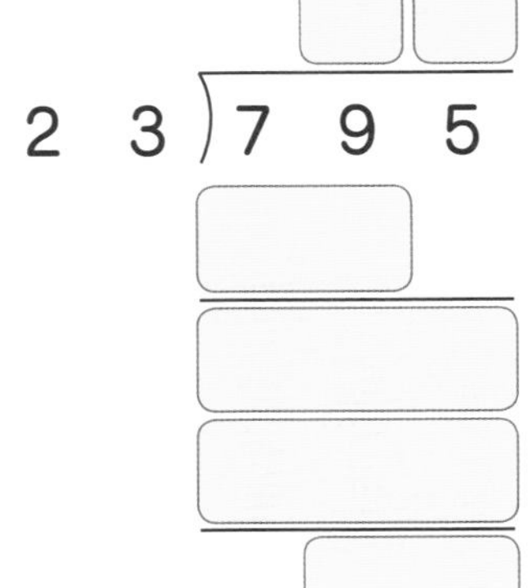

23)795

15)207

35)563

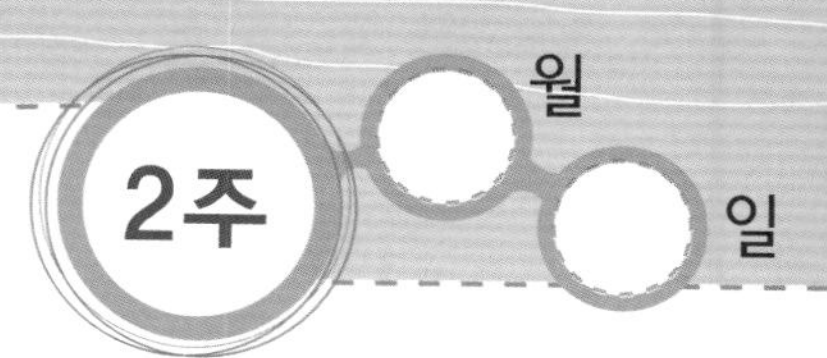

 빈칸에 알맞은 수를 써넣으세요.

$$\begin{array}{r} 30 \\ 29\overline{)882} \\ \underline{87} \\ 12 \\ \underline{0} \\ 12 \end{array}$$

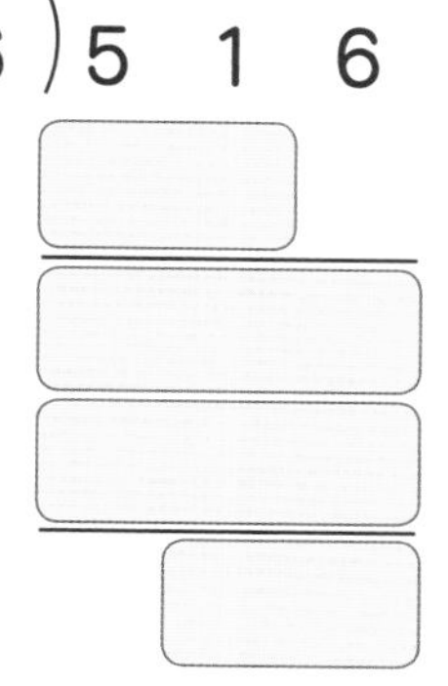

16)5 1 6

19)9 3 3

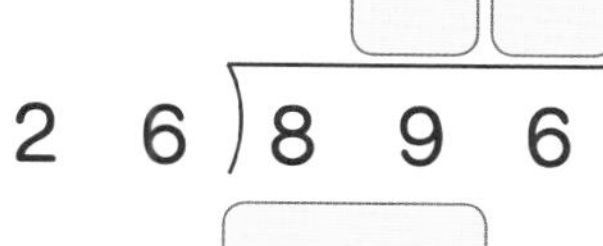

26)8 9 6

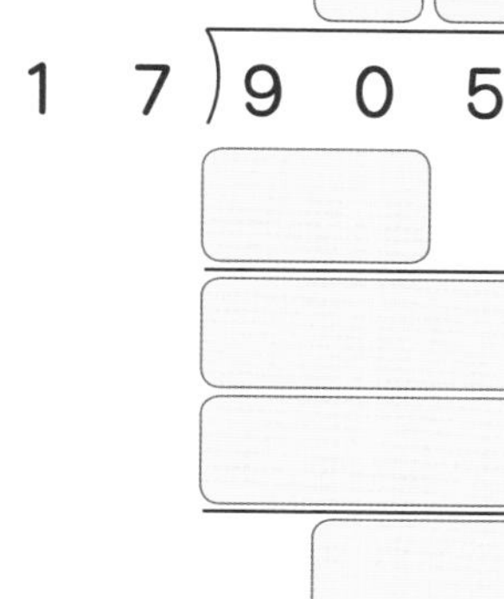

17)9 0 5

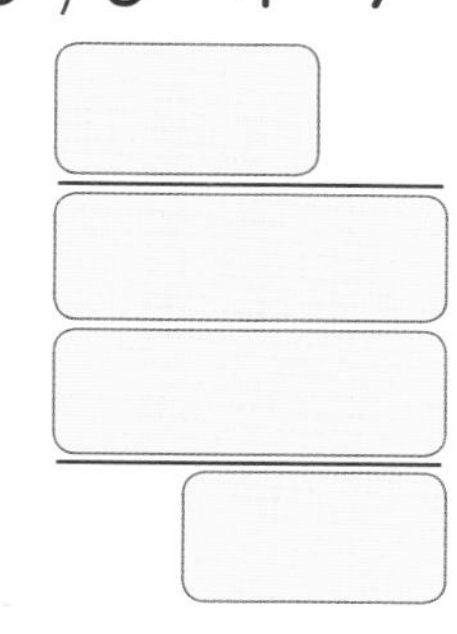

13)9 4 7

14)5 0 2

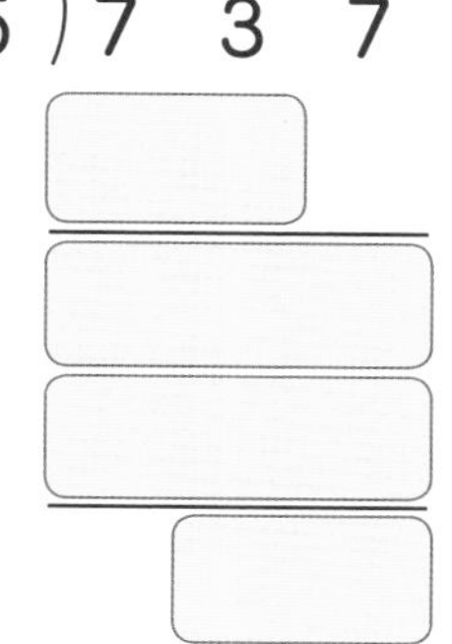

15)7 3 7

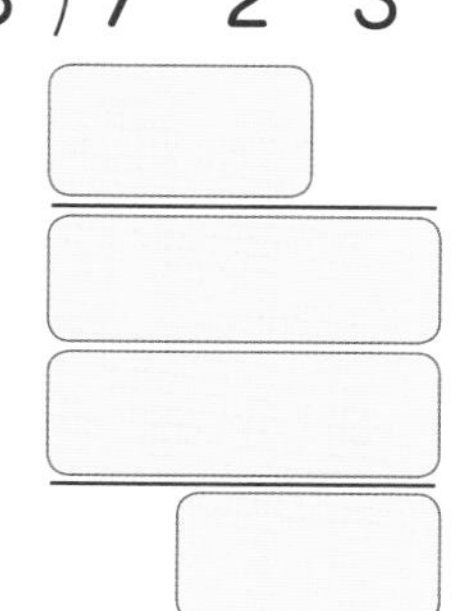

28)7 2 3

(세 자리 수) ÷ (두 자리 수) (3)

각 자리의 위치를 맞추어 빈칸에 알맞은 수를 써넣으세요.

$$\begin{array}{r} 15 \\ 15\overline{)237} \\ \underline{15} \\ 87 \\ \underline{75} \\ 12 \end{array}$$

$18\overline{)149}$

$23\overline{)180}$

$21\overline{)907}$

$36\overline{)822}$

$26\overline{)210}$

$27\overline{)371}$

$55\overline{)491}$

$24\overline{)331}$

각 자리의 위치를 맞추어 빈칸에 알맞은 수를 써넣으세요.

36)287

18)621

25)942

69)993

42)208

31)188

77)518

79)852

38)931

Note

소마셈 C6 – 3주차

나머지가 있는 나누기 두 자리 수(2)

잘못된 식

다음과 같이 계산이 잘못된 곳을 찾아 표시하고, 답을 바르게 고쳐 보세요.

~~2~~
32)671
64
31

➡

20
32)671
64
31
0
31

24
18)450
36
90
72
18

➡

102
43)536
43
106
86
20

➡

계산이 잘못된 곳을 찾아 표시하고, 답을 바르게 고쳐 보세요.

```
       6 4
    ──────
1 4 )9 0 0
     8 4
    ──────
       6 0
       6 0
    ──────
         0
```
➡

```
       2 1
    ──────
1 2 )2 5 7
     2 4
    ──────
     1 0 7
       1 2
    ──────
       9 5
```
➡

```
       2 1
    ──────
2 7 )5 6 2
     5 4
    ──────
       2 2
       2 7
    ──────
         5
```
➡

나눗셈 퍼즐

나눗셈을 하여 빈칸에 몫과 나머지를 차례대로 써넣으세요.

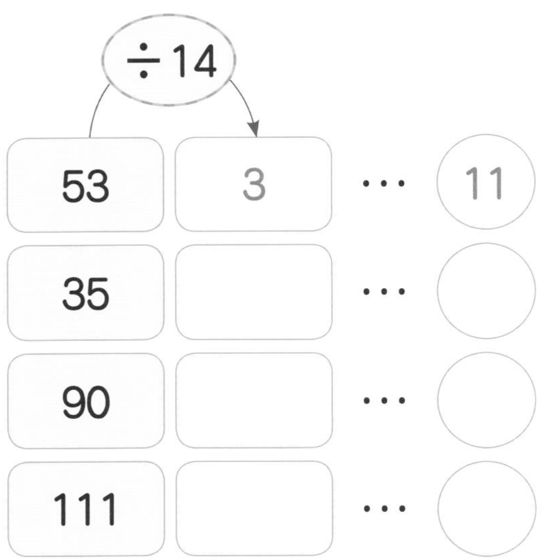

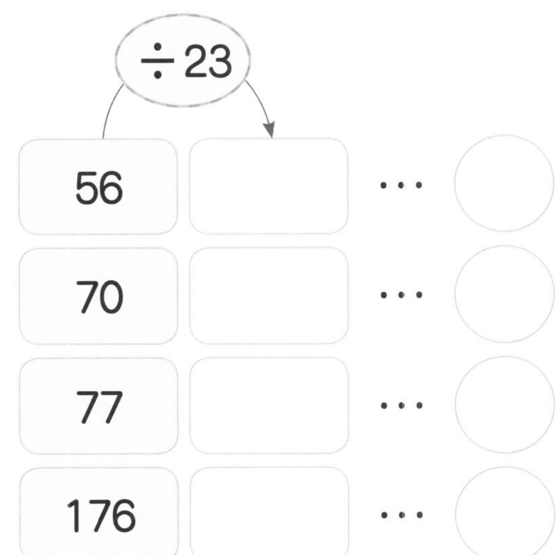

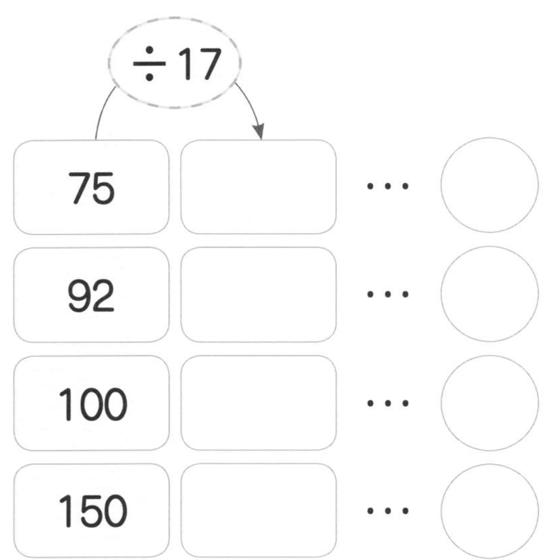

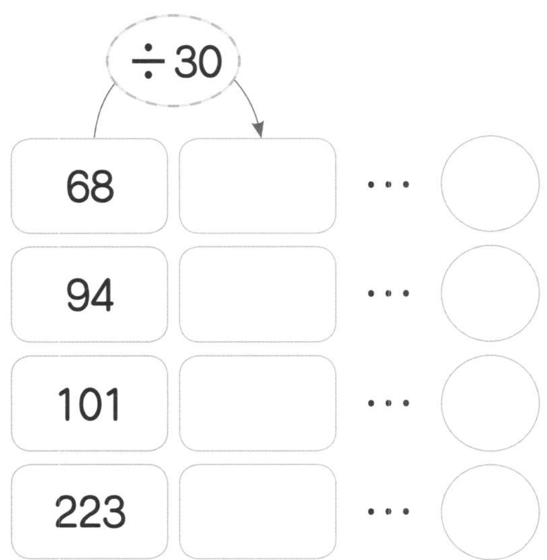

나눗셈을 하여 빈칸에 몫과 나머지를 차례대로 써넣으세요.

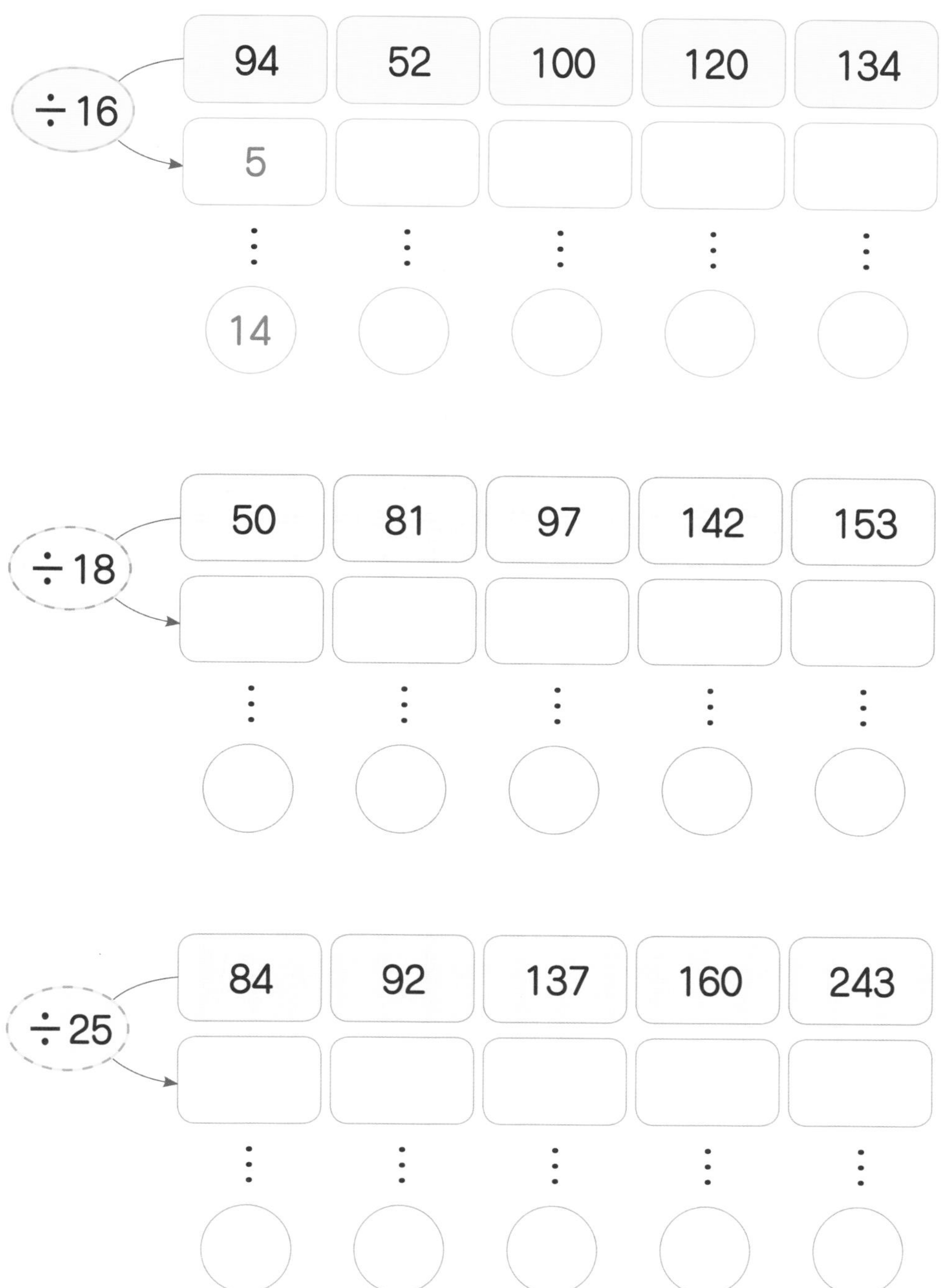

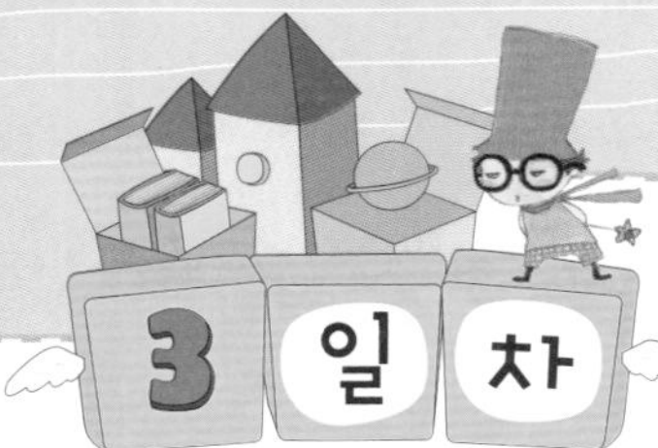

벌레 먹은 나눗셈

빈칸에 알맞은 수를 써넣으세요.

```
        [7]
18 ) 1 3 [6]
     1 2 6
     -----
       1 0
```

```
          5
[ ]4 ) 1 7 [ ]
       1 7 0
       -----
           6
```

```
        2 [3]
[1]4 ) 3 2 [7]
       2 8
       -----
         4 7
         4 [2]
       -----
           [5]
```

```
         3 [ ]
1[ ] ) 5 3 [ ]
     [ ]1
     -----
       2 [ ]
       1 7
     -----
         3
```

```
        [ ] 5
26 ) [ ] 0 9
     2 6
     -----
     1 4 [ ]
   [ ] 3 0
     -----
       1 [ ]
```

```
        [ ] 3
32 ) [ ] 1 6
     3 2
     -----
       [ ][ ]
       [ ] 6
     -----
           0
```

 빈칸에 알맞은 수를 써넣으세요.

6
42) 2 8 □
2 5 □
2 8

□
□6) 4 2 □
3 9 2
2 9

1 □
4□) □ 0 4
4 8
2 2 □
1 9 2
□ 2

2 □
□3) 5 2 □
4 6
6 □
□ 6
1 5

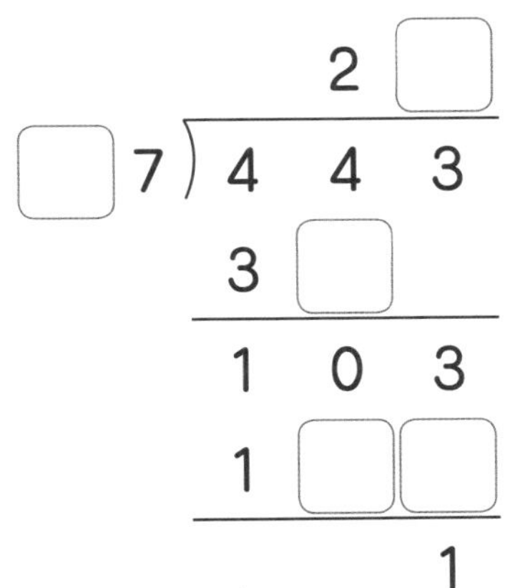

□ 9
19) □ 5 0
5 7
1 8 □
□ 7 1
□

 빈칸에 알맞은 수를 써넣으세요.

```
        8
□5 ) 3 0 □
     2 8 0
       2 2
```

```
          □
2 9 ) 1 3 □
      1 1 6
        1 7
```

```
        4 □
1 □ ) 5 0 □
      □ 8
        2 □
        2 4
          5
```

```
        1 □
5 □ ) □ 7 5
      5 0
      1 7 □
      1 5 0
        □ 5
```

```
        □ 3
1 4 ) □ 9 1
      8 4
        □ □
        □ 2
          9
```

```
        2 □
□ 4 ) 5 9 2
      4 □
      1 1 2
        □ □
        1 6
```

4일차 검산식

나눗셈을 하고, 나눗셈의 계산 결과가 올바른지 검산하여 알아보세요.

```
       3
25 ) 84
     75
     --
      9
```

검산 25 × 3 + 9 = 84

```
17 ) 91
```

검산 17 × ☐ + ☐ = ☐

```
13 ) 71
```

검산 13 × ☐ + ☐ = ☐

```
32 ) 90
```

검산 32 × ☐ + ☐ = ☐

```
18 ) 93
```

검산 18 × ☐ + ☐ = ☐

```
24 ) 85
```

검산 24 × ☐ + ☐ = ☐

 나눗셈을 하고, 나눗셈의 계산 결과가 올바른지 검산하여 알아보세요.

```
       2 8
15 ) 4 2 7
     3 0
     -----
     1 2 7
     1 2 0
     -----
         7
```

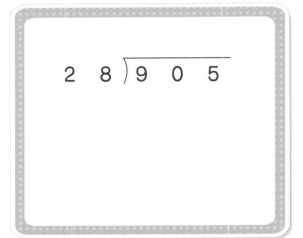

검산 15 × 28 + 7 = 427

28) 905

검산 28 × ☐ + ☐ = ☐

32) 846

검산 32× ☐ + ☐ = ☐

54) 723

검산 54 × ☐ + ☐ = ☐

나눗셈의 검산을 할 때, (나누는 수) × (몫) + (나머지) = (나눠지는 수)가 됩니다.

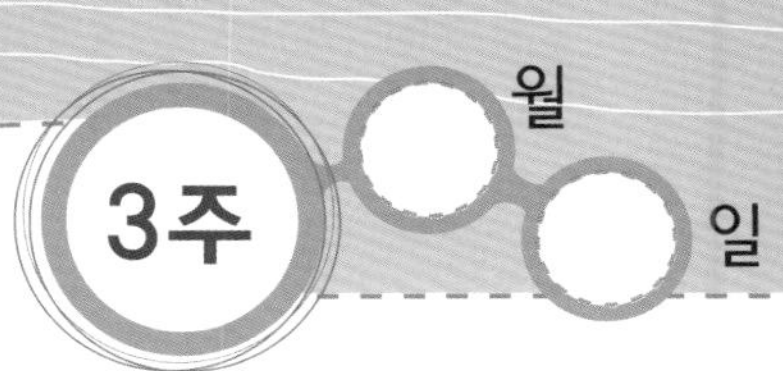

나눗셈을 하고, 나눗셈의 계산 결과가 올바른지 검산하여 알아보세요.

$13 \overline{)584}$

$19 \overline{)978}$

검산 13 × ☐ + ☐ = ☐

검산 19 × ☐ + ☐ = ☐

$28 \overline{)737}$

$45 \overline{)604}$

검산 28× ☐ + ☐ = ☐

검산 45× ☐ + ☐ = ☐

5일차 문장제

다음을 읽고 알맞은 나눗셈식을 쓰고, 답을 구하세요.

감자 76개를 24명이 남김없이 똑같이 나누어 가지려고 했더니 감자 몇 개가 부족했습니다. 감자는 적어도 몇 개가 더 필요할까요?

식 : 76 ÷ 24 = 3 ⋯ 4, 24 - 4 = 20

 개

포도 95송이를 16명이 남김없이 똑같이 나누어 가지려고 했더니 포도 몇 송이가 부족했습니다. 포도는 적어도 몇 송이가 더 필요할까요?

식 :

 송이

위의 문제 76÷24=3⋯4에서 24개씩 3명이 나누어 갖고 4개가 남습니다. 남김없이 나누어 가지려고 하기 때문에 감자는 적어도 24−4=20(개)가 더 필요합니다.

 다음을 읽고 알맞은 나눗셈식을 쓰고, 답을 구하세요.

무 265개를 운반하려고 합니다. 트럭 한 대에 37개씩 실어 운반하면 몇 번 나르고, 몇 개가 남을까요?

식 : 　　　　　　　　　　　　 번, 　　 개

달걀 435개를 한 바구니에 12개씩 담으려고 합니다. 바구니 몇 개를 채울 수 있고, 남은 달걀은 몇 개일까요?

식 : 　　　　　　　　　　　　 개, 　　 개

 다음을 읽고 알맞은 나눗셈식을 쓰고, 답을 구하세요.

길이가 45cm인 끈으로 리본을 한 개 만들 수 있습니다. 길이가 725cm인 끈으로는 리본을 몇 개 만들 수 있을까요?

식 : ＿＿＿＿＿＿＿＿ ☐ 개

형은 구슬 38개를 가져오고, 동생은 구슬 53개를 가져왔습니다. 두 사람이 가져온 구슬을 한 통에 19개씩 담는다면, 몇 통이 되고 몇 개가 남을까요?

식 : ＿＿＿＿＿＿＿＿ ☐ 통, ☐ 개

사탕 87개를 16명이 남김없이 똑같이 나누어 가지려고 합니다. 사탕은 적어도 몇 개가 더 필요할까요?

식 : ＿＿＿＿＿＿＿＿ ☐ 개

다음을 읽고 알맞은 나눗셈식을 쓰고, 답을 구하세요.

우유 447L를 34L들이 통에 담으려고 합니다. 우유는 몇 통이 되고, 또 몇 L가 남을까요?

식 :

 통, L

형우는 117쪽짜리 동화책을 매일 27쪽씩 읽으려고 합니다. 동화책을 다 읽으려면, 같은 빠르기로 며칠을 읽어야 할까요?

식 :

 일

민영이는 도너츠 67개를 한 상자에 12개씩 나누어 담고 남은 것을 먹었습니다. 민영이가 먹은 도너츠는 몇 개일까요?

식 :

 개

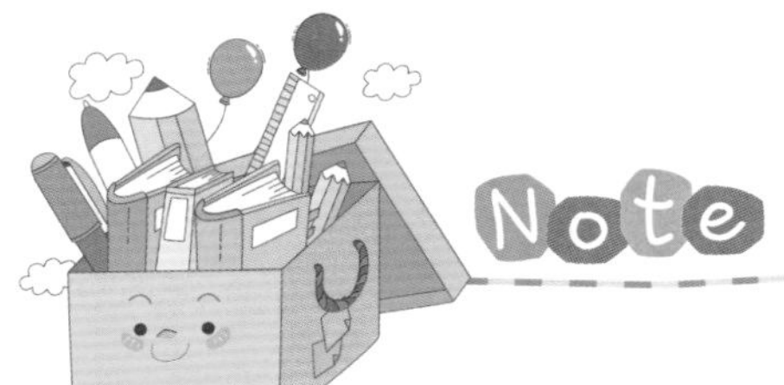
Note

소마셈 C6 – 4주차

나눗셈식 만들기

목표수 만들기

 수 카드를 한번씩 사용하여 나눗셈식을 완성하세요.

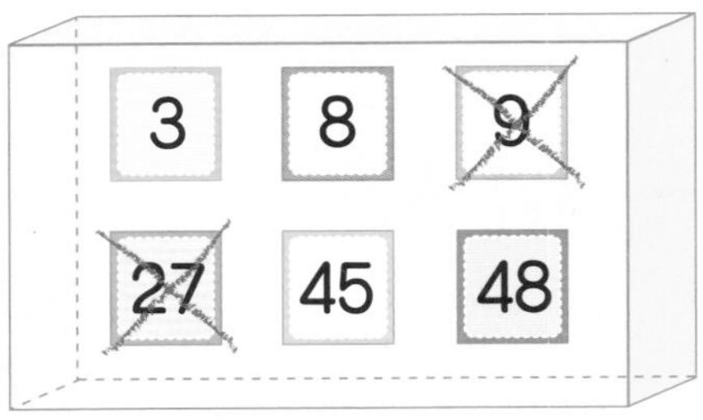

27 ÷ 9 = 3

☐ ÷ ☐ = 6

☐ ÷ ☐ = 15

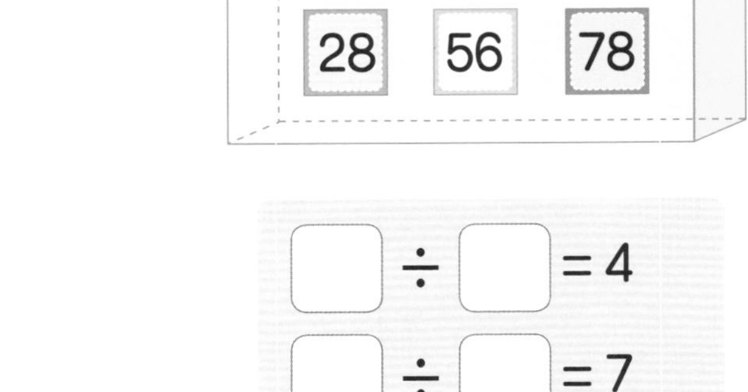

☐ ÷ ☐ = 4

☐ ÷ ☐ = 7

☐ ÷ ☐ = 13

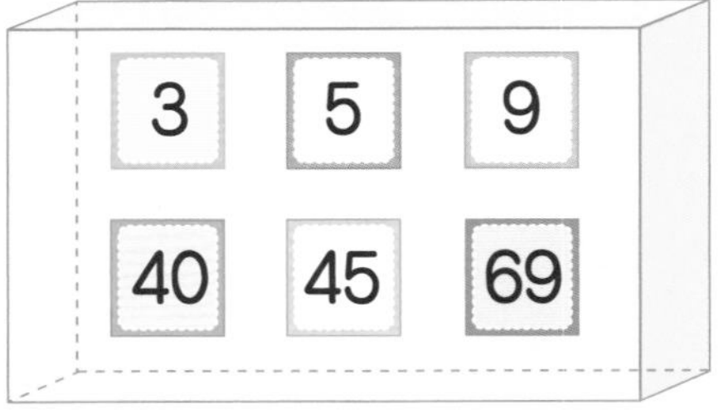

☐ ÷ ☐ = 5

☐ ÷ ☐ = 8

☐ ÷ ☐ = 23

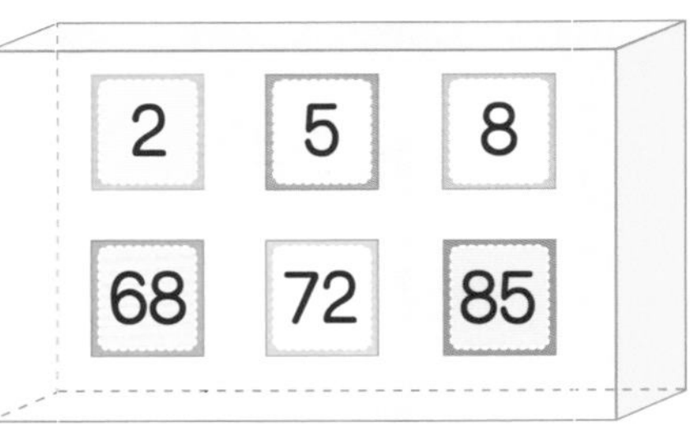

☐ ÷ ☐ = 9

☐ ÷ ☐ = 17

☐ ÷ ☐ = 34

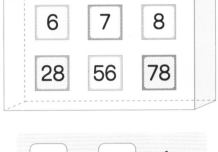

수 카드를 한번씩 사용하여 나눗셈식을 완성하세요.

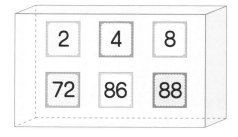

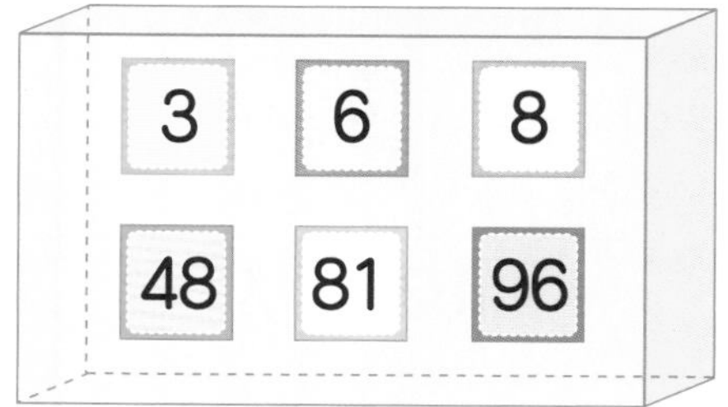

☐ ÷ ☐ = 8

☐ ÷ ☐ = 12

☐ ÷ ☐ = 27

2 4 5

24 74 90

☐ ÷ ☐ = 6

☐ ÷ ☐ = 18

☐ ÷ ☐ = 37

2 4 8

72 86 88

☐ ÷ ☐ = 9

☐ ÷ ☐ = 22

☐ ÷ ☐ = 43

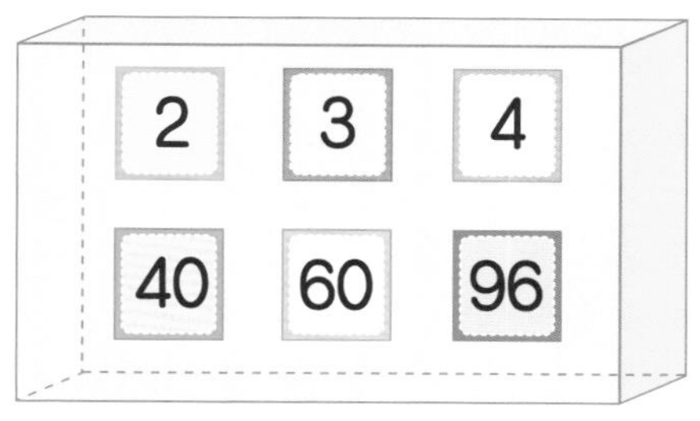

☐ ÷ ☐ = 15

☐ ÷ ☐ = 20

☐ ÷ ☐ = 32

 수 카드를 한번씩 사용하여 나눗셈식을 완성하세요.

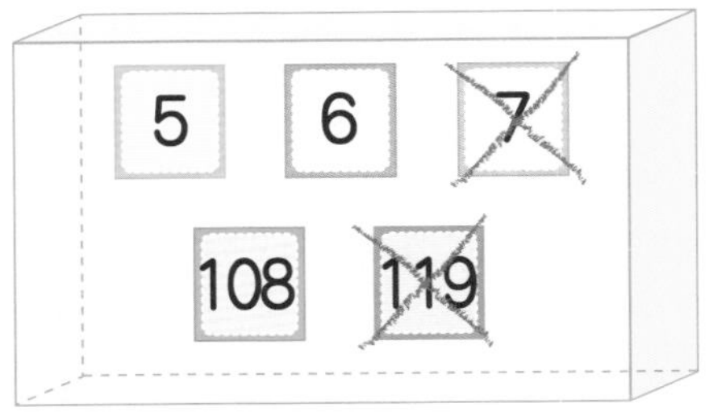

119 ÷ 7 = 17

☐ ÷ ☐ = 18

6 8 120 182 7

☐ ÷ ☐ = 15

☐ ÷ ☐ = 26

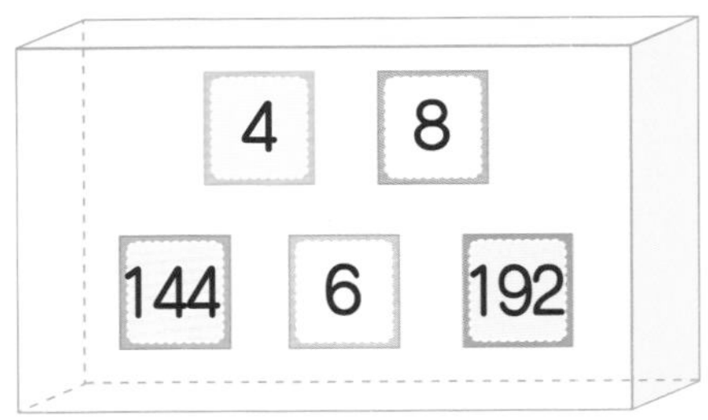

☐ ÷ ☐ = 24

☐ ÷ ☐ = 36

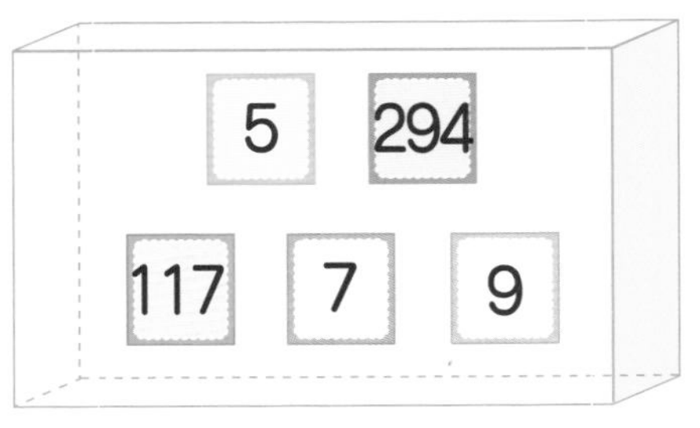

☐ ÷ ☐ = 13

☐ ÷ ☐ = 42

몫이 가장 큰 식 (1)

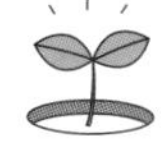

(두 자리 수)÷(한 자리 수)에서 숫자 카드를 한번씩 사용하여 나눗셈식을 만들 때, 몫을 가장 크게 만드는 방법을 알아보세요.

(1) 몫을 가장 크게 만들려면 나누는 수는 무엇인지 색칠된 칸에 써 보세요.

(2) 몫을 가장 크게 만들려면 나누어지는 수는 무엇인지 색칠된 칸에 써 보세요.

(3) 몫이 가장 큰 식의 값을 구하세요.

나눗셈의 몫이 크려면 나누어지는 수는 크고, 나누는 수는 작아야 합니다. 위의 문제에서 주어진 숫자 카드의 크기를 비교하면 2<4<6이므로 몫이 가장 크려면 나누는 수는 2, 나누어지는 수는 64가 되어야 합니다.

 숫자 카드를 한번씩 사용하여 몫이 가장 클 때의 값을 구해보세요.

3  5　　 ÷ 2 = □ ··· □

3 4 5　　□□ ÷ □ = □

9 7 3　　□□ ÷ □ = □ ··· □

2 6 4 8　　□□ ÷ □ = □

3 7 4 5　　□□ ÷ □ = □

4 8 7 6　　□□ ÷ □ = □ ··· □

(세 자리 수)÷(한 자리 수)에서 숫자 카드를 한번씩 사용하여 나눗셈식을 만들 때, 몫을 가장 크게 만드는 방법을 알아보세요.

(1) 몫을 가장 크게 만들려면 나누는 수는 무엇인지 색칠된 칸에 써 보세요.

(2) 몫을 가장 크게 만들려면 나누어지는 수는 무엇인지 색칠된 칸에 써 보세요.

(3) 몫이 가장 큰 식의 값을 구하세요.

나눗셈의 몫이 크려면 나누어지는 수는 크고, 나누는 수는 작아야 합니다. 위의 문제에서 주어진 숫자 카드의 크기를 비교하면 2<4<5<6이므로 몫이 가장 크려면 나누는 수는 2, 나누어지는 수는 654가 되어야 합니다.

 숫자 카드를 한번씩 사용하여 몫이 가장 클 때의 값을 구해보세요.

4 ~~3~~ 5 6 　 □□□ ÷ 3 = □

2 5 7 8 　 □□□ ÷ □ = □ … □

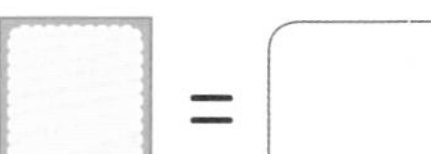

2 9 6 4 　 □□□ ÷ □ = □

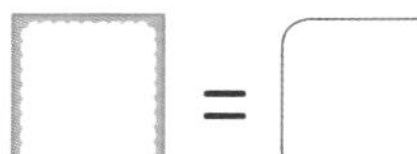

1 3 7 9 5 　 □□□ ÷ □ = □

3 4 5 7 6 　 □□□ ÷ □ = □

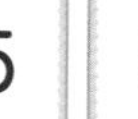

4 7 8 5 9 　 □□□ ÷ □ = □ … □

몫이 가장 큰 식 (2)

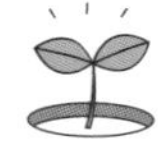

(세 자리 수)÷(두 자리 수)에서 숫자 카드를 한번씩 사용하여 나눗셈식을 만들 때, 몫을 가장 크게 만드는 방법을 알아보세요.

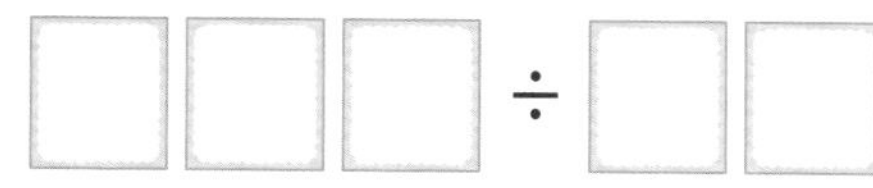

(1) 몫을 가장 크게 만들려면 나누는 수는 무엇인지 색칠된 칸에 써 보세요.

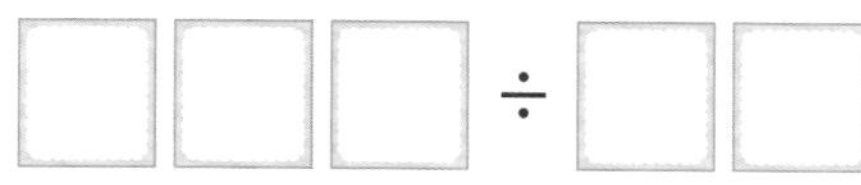

(2) 몫을 가장 크게 만들려면 나누어지는 수는 무엇인지 색칠된 칸에 써 보세요.

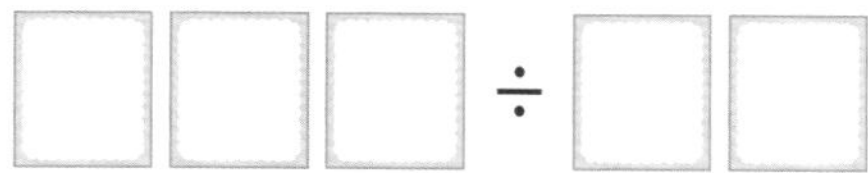

(3) 몫이 가장 큰 식의 값을 구하세요.

나눗셈의 몫이 크려면 나누어지는 수는 크고, 나누는 수는 작아야 합니다. 위의 문제에서 주어진 숫자 카드의 크기를 비교하면 $1<2<3<5<6$이므로 몫이 가장 크려면 나누는 수는 12, 나누어지는 수는 653이 되어야 합니다.

숫자 카드를 한번씩 사용하여 몫이 가장 클 때의 값을 구해보세요.

2 0 6 5 7   □□□ ÷ □□ = □ … □

1 7 5 9 3   □□□ ÷ □□ = □

2 6 7 4 8   □□□ ÷ □□ = □ … □

0 6 8 9 5   □□□ ÷ □□ = □ … □

3 7 9 5 4   □□□ ÷ □□ = □ … □

몫이 가장 작은 식 (1)

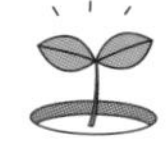

(두 자리 수)÷(한 자리 수)에서 숫자 카드를 한번씩 사용하여 나눗셈식을 만들 때, 몫을 가장 작게 만드는 방법을 알아보세요.

(1) 몫을 가장 작게 만들려면 나누는 수는 무엇인지 색칠된 칸에 써 보세요.

(2) 몫을 가장 작게 만들려면 나누어지는 수는 무엇인지 색칠된 칸에 써 보세요.

(3) 몫이 가장 작은 식의 값을 구하세요.

나눗셈의 몫이 작으려면 나누어지는 수는 작고, 나누는 수는 커야 합니다. 위의 문제에서 주어진 숫자 카드의 크기를 비교하면 1<2<4이므로 몫이 가장 작으려면 나누는 수는 4, 나누어지는 수는 12가 되어야 합니다.

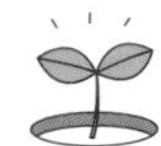

숫자 카드를 한번씩 사용하여 몫이 가장 작을 때의 값을 구해보세요.

3 2 6

□□ ÷ 6 = □ ⋯ □

5 3 0

□□ ÷ □ = □

7 9 2

□□ ÷ □ = □

1 5 7 6

□□ ÷ □ = □ ⋯ □

4 9 5 8

□□ ÷ □ = □

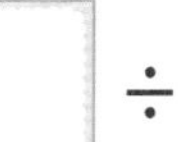

3 7 8 6

□□ ÷ □ = □ ⋯ □

(세 자리 수)÷(한 자리 수)에서 숫자 카드를 한번씩 사용하여 나눗셈식을 만들 때, 몫을 가장 작게 만드는 방법을 알아보세요.

(1) 몫을 가장 작게 만들려면 나누는 수는 무엇인지 색칠된 칸에 써 보세요.

(2) 몫을 가장 작게 만들려면 나누어지는 수는 무엇인지 색칠된 칸에 써 보세요.

(3) 몫이 가장 작은 식의 값을 구하세요.

TIP

나눗셈의 몫이 크려면 나누어지는 수는 작고, 나누는 수는 커야 합니다. 위의 문제에서 주어진 숫자 카드의 크기를 비교하면 0<3<4<5이므로 몫이 가장 작으려면 나누는 수는 5, 나누어지는 수는 304가 되어야 합니다.

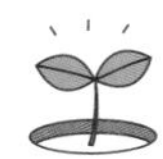 숫자 카드를 한번씩 사용하여 몫이 가장 작을 때의 값을 구해보세요.

숫자 카드	식
2 4 0 ~~6~~	□□□ ÷ 6 = □
1 5 6 8	□□□ ÷ □ = □ … □
5 9 7 3	□□□ ÷ □ = □ … □
1 7 9 6 2	□□□ ÷ □ = □
2 7 6 8 5	□□□ ÷ □ = □
3 6 0 7 4	□□□ ÷ □ = □ … □

몫이 가장 작은 식 (2)

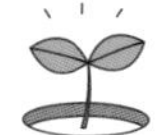

(세 자리 수)÷(두 자리 수)에서 숫자 카드를 한번씩 사용하여 나눗셈식을 만들 때, 몫을 가장 작게 만드는 방법을 알아보세요.

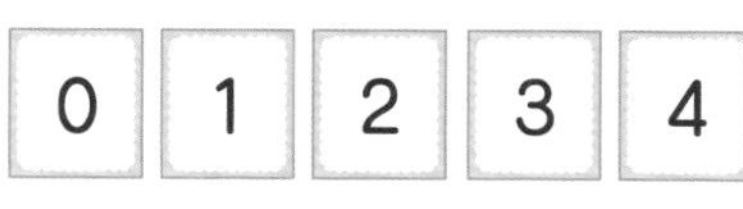

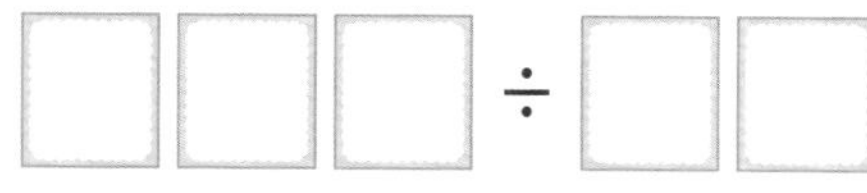

(1) 몫을 가장 작게 만들려면 나누는 수는 무엇인지 색칠된 칸에 써 보세요.

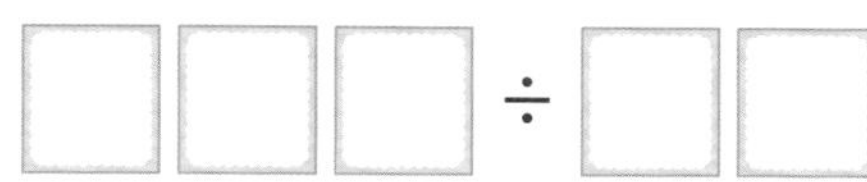

(2) 몫을 가장 작게 만들려면 나누어지는 수는 무엇인지 색칠된 칸에 써 보세요.

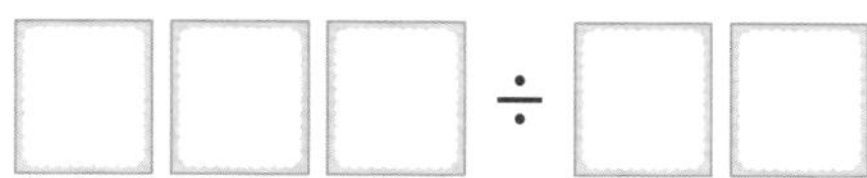

(3) 몫이 가장 작은 식의 값을 구하세요.

나눗셈의 몫이 작으려면 나누어지는 수는 작고, 나누는 수는 커야 합니다. 위의 문제에서 주어진 숫자 카드의 크기를 비교하면 $0<1<2<3<4$이므로 몫이 가장 크려면 나누는 수는 43, 나누어지는 수는 102가 되어야 합니다.

 숫자 카드를 한번씩 사용하여 몫이 가장 작을 때의 값을 구해보세요.

숫자 카드	식
0 1 3 ~~5~~ ~~6~~	□□□ ÷ 6 5 = □ ··· □
3 1 2 4 5	□□□ ÷ □□ = □ ··· □
2 7 8 3 4	□□□ ÷ □□ = □ ··· □
3 9 4 8 5	□□□ ÷ □□ = □ ··· □
2 7 0 8 5	□□□ ÷ □□ = □ ··· □
6 4 7 3 0	□□□ ÷ □□ = □

보충학습

Drill

나머지가 없는 나누기 두 자리 수

빈칸에 알맞은 수를 써넣으세요.

$17 \overline{)85}$

$23 \overline{)92}$

$18 \overline{)54}$

$15 \overline{)45}$

$16 \overline{)96}$

$37 \overline{)74}$

$27 \overline{)81}$

$18 \overline{)90}$

$24 \overline{)72}$

빈칸에 알맞은 수를 써넣으세요.

$$12\overline{)72}$$

$$11\overline{)99}$$

$$12\overline{)96}$$

$$17\overline{)51}$$

$$26\overline{)52}$$

$$28\overline{)84}$$

$$31\overline{)93}$$

$$19\overline{)95}$$

$$26\overline{)78}$$

빈칸에 알맞은 수를 써넣으세요.

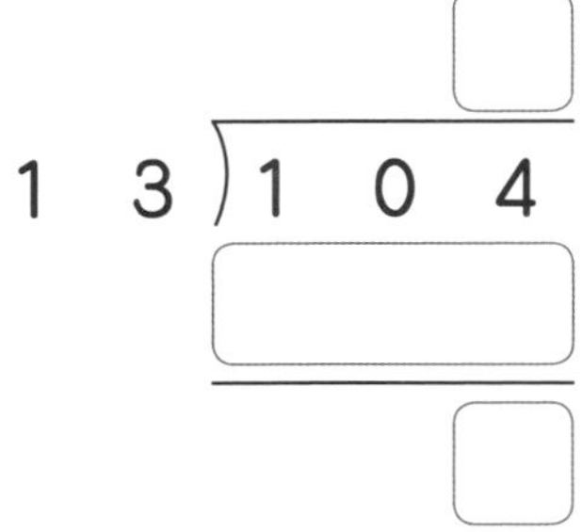

1 6) 1 1 2

2 5) 1 2 5

3 4) 3 0 6

2 8) 1 4 0

2 4) 1 6 8

3 6) 2 8 8

5 3) 4 7 7

4 6) 1 8 4

빈칸에 알맞은 수를 써넣으세요.

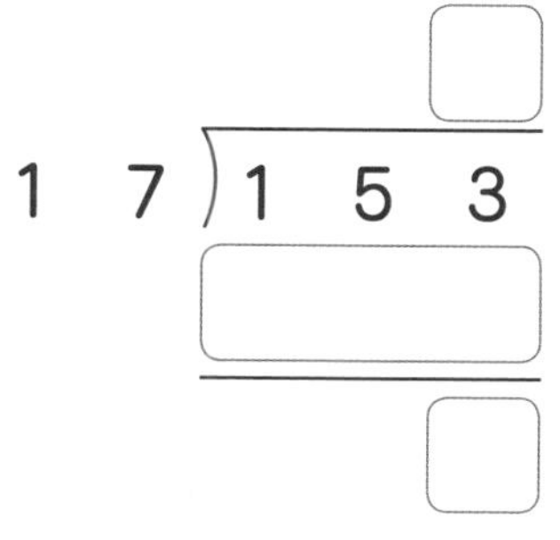

$21\overline{)126}$

$23\overline{)184}$

$32\overline{)256}$

$25\overline{)100}$

$27\overline{)189}$

$45\overline{)135}$

$38\overline{)228}$

$57\overline{)285}$

빈칸에 알맞은 수를 써넣으세요.

1 5) 7 0 5

2 4) 8 4 0

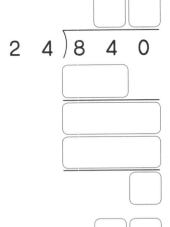

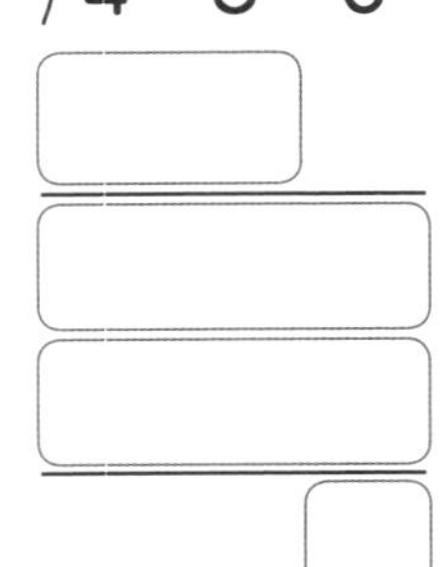

빈칸에 알맞은 수를 써넣으세요.

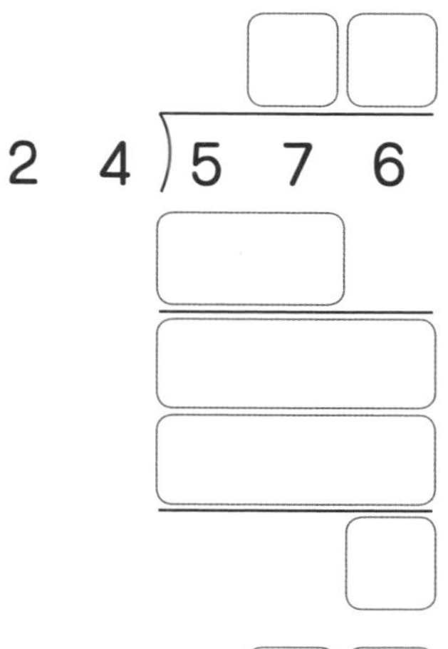

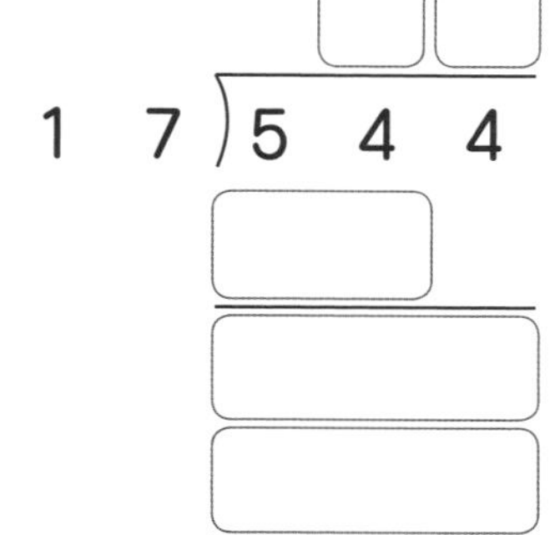

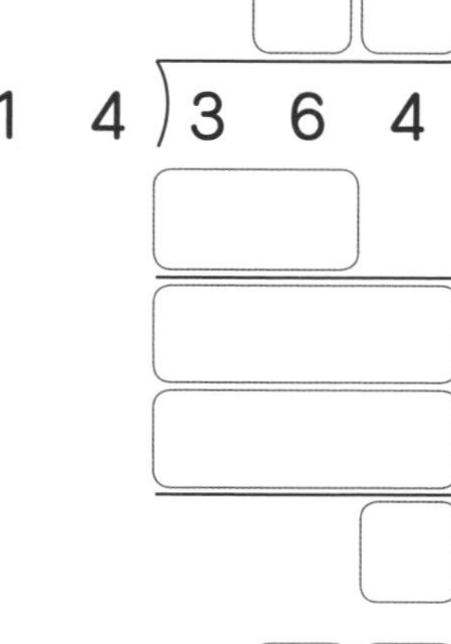

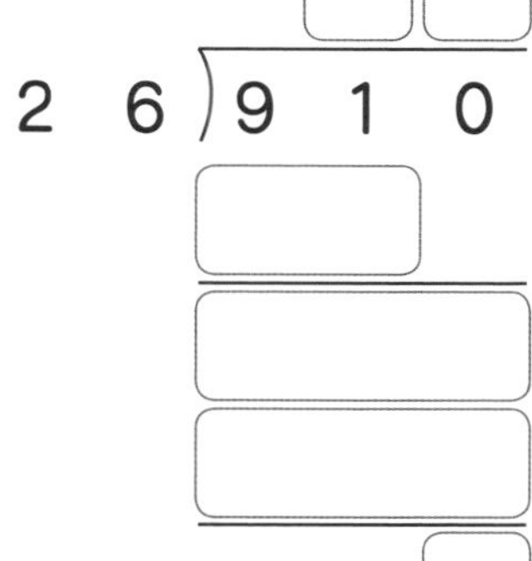

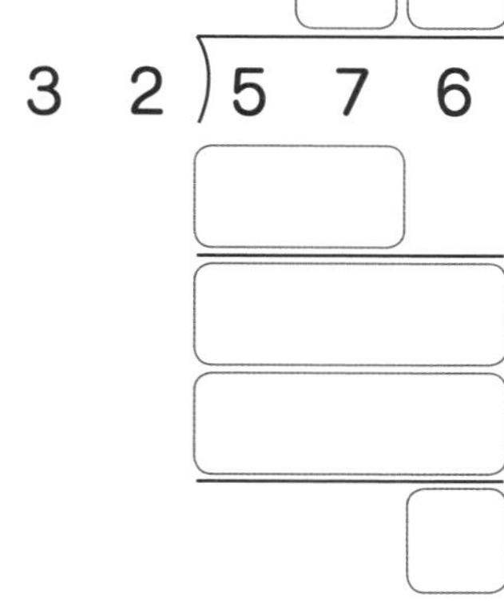

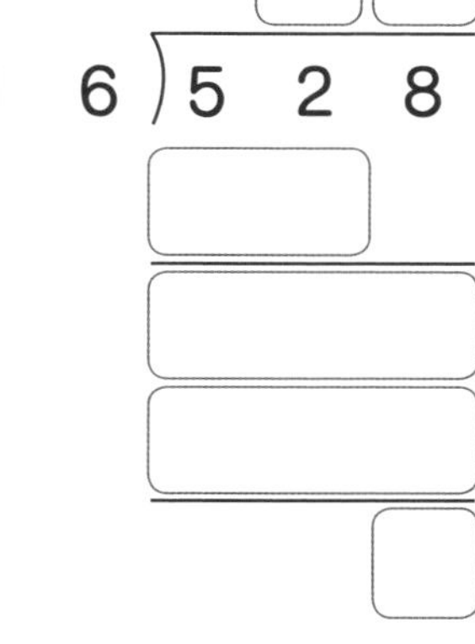

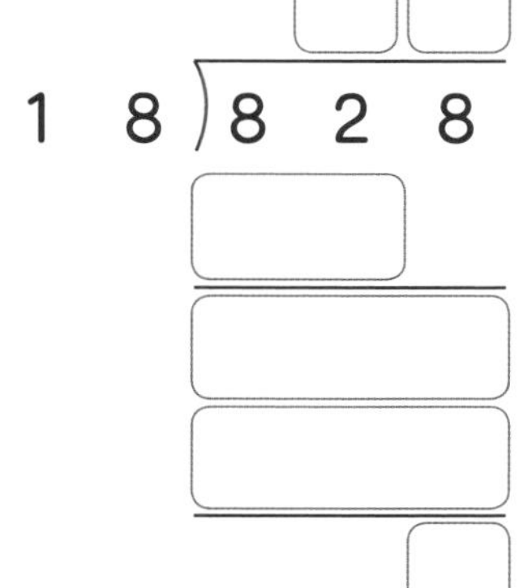

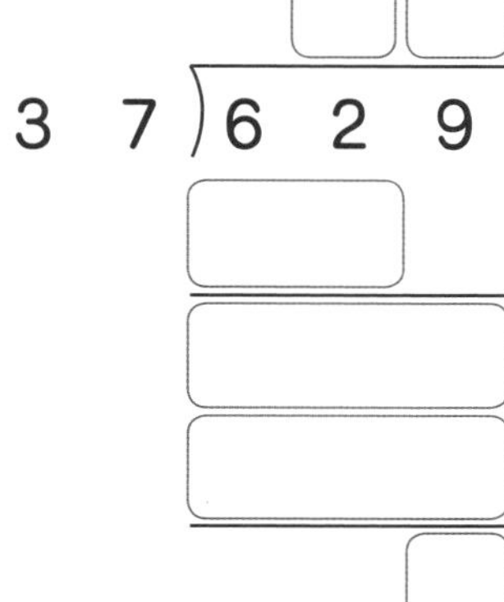

28)784

빈칸에 알맞은 수를 써넣으세요.

22) 374

18) 414

27) 864

45) 945

28) 924

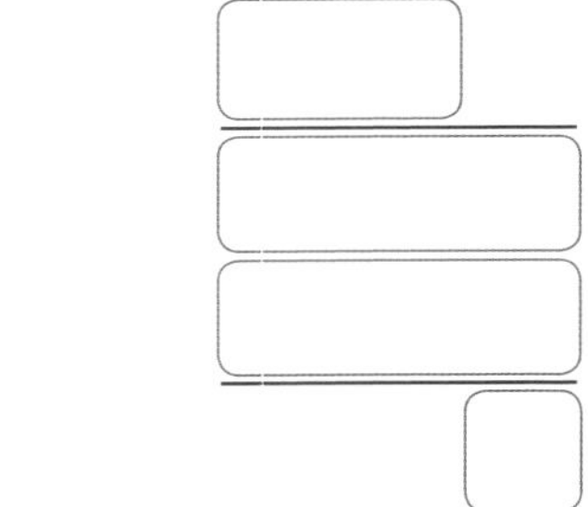

24) 336

16) 672

34) 850

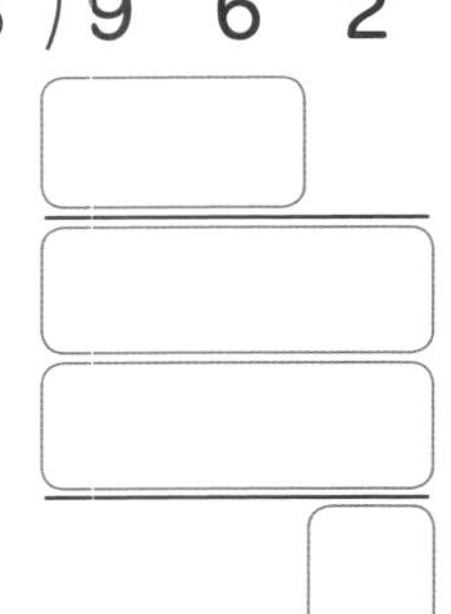

13) 962

빈칸에 알맞은 수를 써넣으세요.

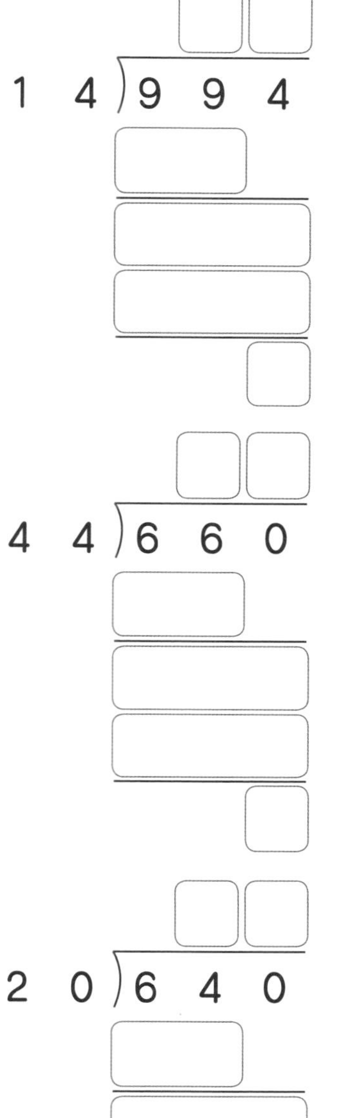

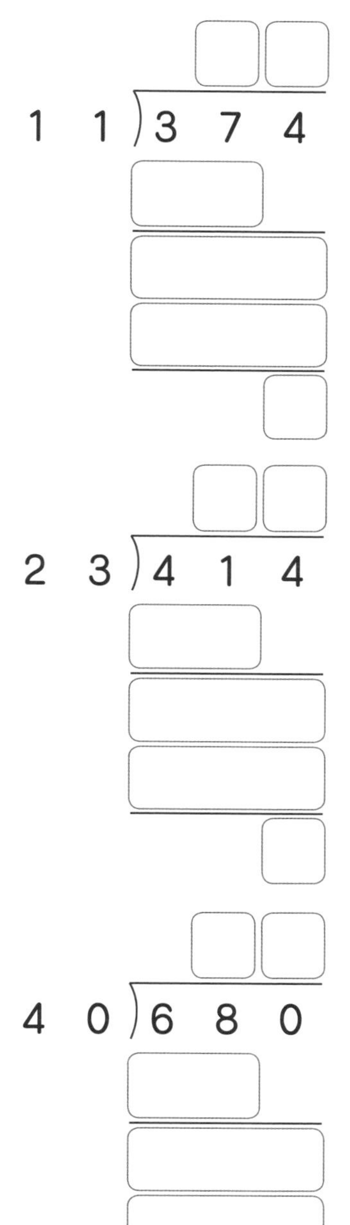

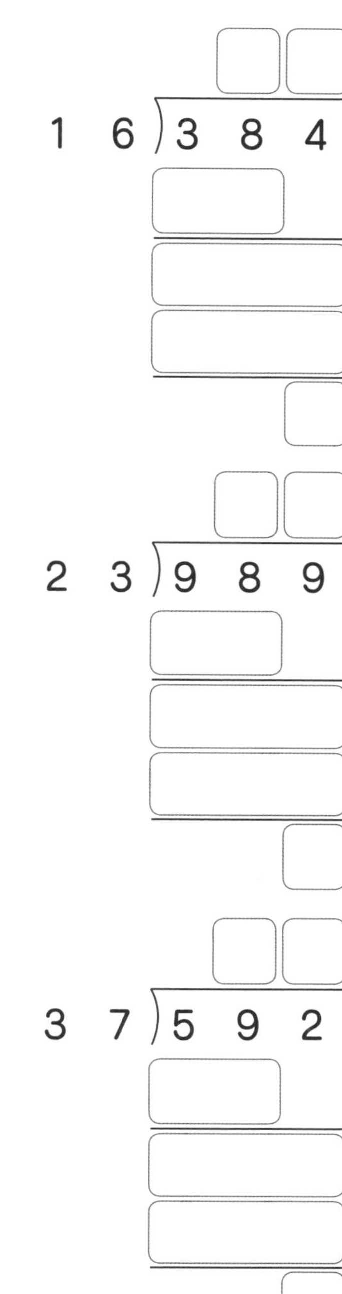

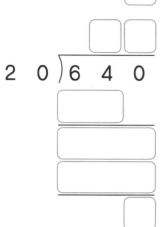

나머지가 있는 나누기 두 자리 수 (1)

빈칸에 알맞은 수를 써넣으세요.

$19\overline{)59}$ □ / □ / □

$14\overline{)86}$ □ / □ / □

$23\overline{)72}$ □ / □ / □

$14\overline{)99}$ □ / □ / □

$26\overline{)80}$ □ / □ / □

$17\overline{)73}$ □ / □ / □

$27\overline{)61}$ □ / □ / □

$18\overline{)82}$ □ / □ / □

$32\overline{)97}$ □ / □ / □

빈칸에 알맞은 수를 써넣으세요.

$18\overline{)85}$

$12\overline{)75}$

$14\overline{)94}$

$22\overline{)57}$

$31\overline{)86}$

$18\overline{)77}$

$16\overline{)85}$

$27\overline{)70}$

$24\overline{)77}$

빈칸에 알맞은 수를 써넣으세요.

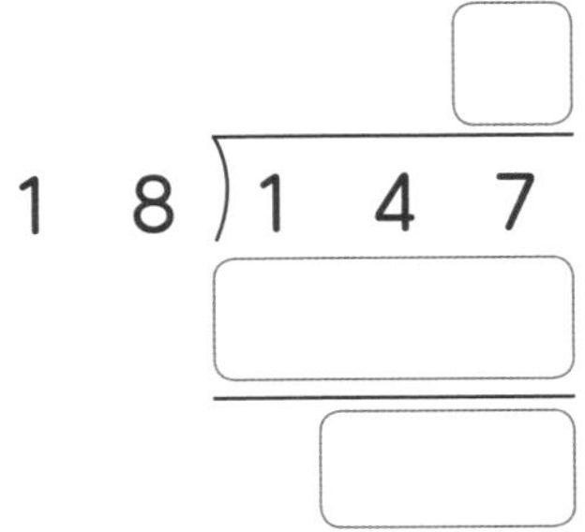

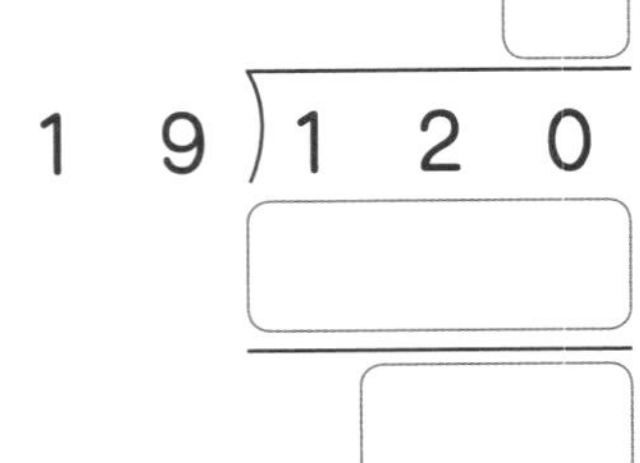

28) 123

23) 215

33) 200

16) 109

40) 294

28) 128

52) 387

빈칸에 알맞은 수를 써넣으세요.

$14\overline{)121}$

$17\overline{)123}$

$25\overline{)132}$

$36\overline{)260}$

$29\overline{)194}$

$18\overline{)120}$

$38\overline{)330}$

$43\overline{)390}$

$57\overline{)257}$

빈칸에 알맞은 수를 써넣으세요.

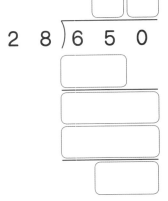

13)808

23)452

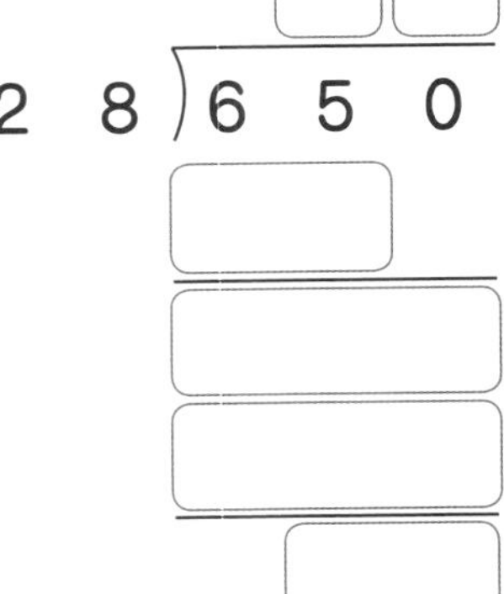

28)650

29)543

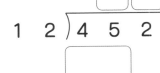

12)452

27)704

35)574

18)759

36)580

빈칸에 알맞은 수를 써넣으세요.

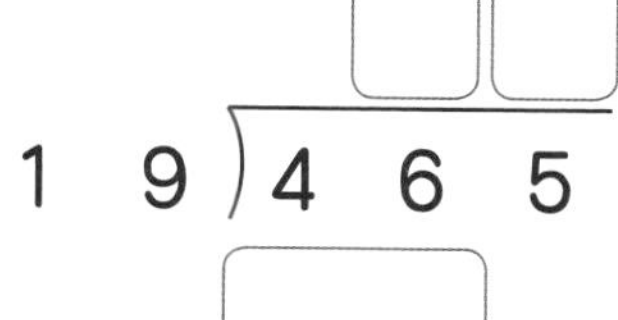

$19 \overline{)465}$

$22 \overline{)706}$

$15 \overline{)643}$

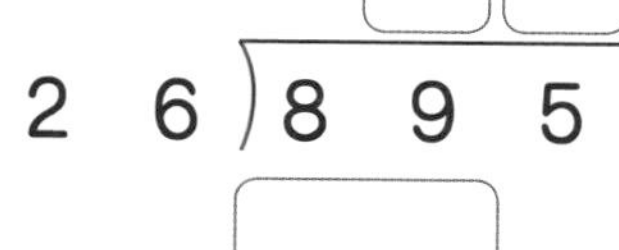

$26 \overline{)895}$

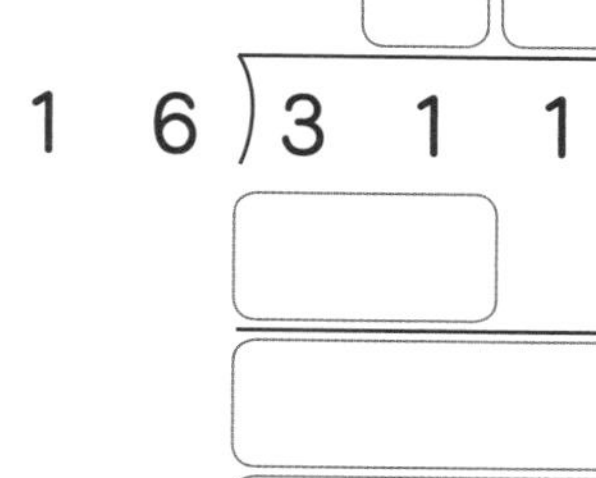

$16 \overline{)311}$

$13 \overline{)372}$

$34 \overline{)784}$

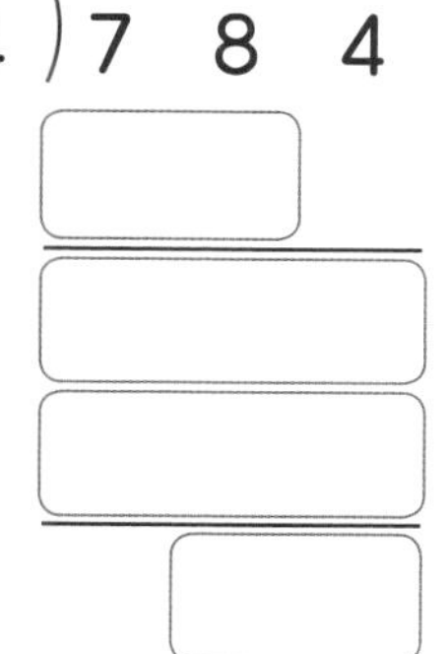

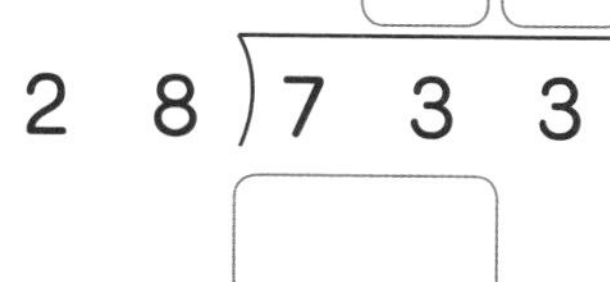

$28 \overline{)733}$

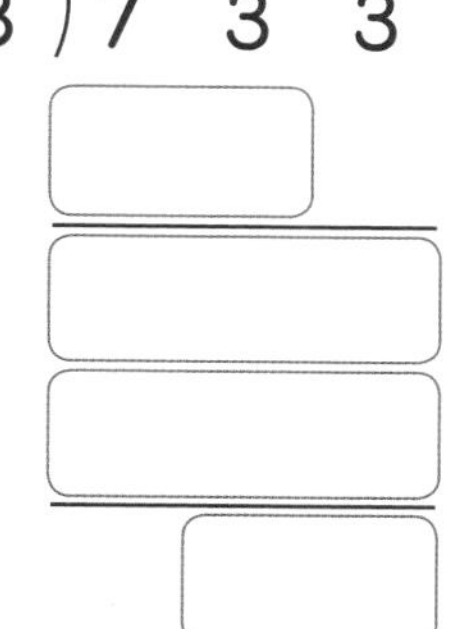

$45 \overline{)948}$

각 자리의 위치를 맞추어 빈칸에 알맞은 수를 써넣으세요.

$24\overline{)298}$	$29\overline{)107}$	$27\overline{)866}$
$14\overline{)500}$	$45\overline{)870}$	$11\overline{)870}$
$28\overline{)137}$	$65\overline{)883}$	$48\overline{)256}$

각 자리의 위치를 맞추어 빈칸에 알맞은 수를 써넣으세요.

$18\overline{)514}$

$23\overline{)668}$

$36\overline{)752}$

$43\overline{)283}$

$15\overline{)524}$

$30\overline{)211}$

$27\overline{)807}$

$48\overline{)497}$

$23\overline{)100}$

나머지가 있는 나누기 두 자리 수 (2)

각 자리의 위치를 맞추어 빈칸에 알맞은 수를 써넣으세요.

$32\overline{)199}$

$18\overline{)420}$

$35\overline{)706}$

$24\overline{)334}$

$27\overline{)208}$

$51\overline{)331}$

$19\overline{)367}$

$49\overline{)512}$

$19\overline{)107}$

각 자리의 위치를 맞추어 빈칸에 알맞은 수를 써넣으세요.

$13\overline{)454}$

$28\overline{)570}$

$21\overline{)193}$

$16\overline{)774}$

$45\overline{)300}$

$27\overline{)689}$

$25\overline{)623}$

$32\overline{)289}$

$48\overline{)765}$

빈칸에 알맞은 수를 써넣으세요.

```
        5
2□ ) 1 2 □
     1 2 0
     -----
         4
```

```
          □
4 3 ) 1 7 5
      1 7 □
      -----
          3
```

```
       □ 2
1 3 ) 2 9 □
      2 6
      -----
        3 □
        2 6
      -----
          9
```

```
        1 9
1□ ) 3 4 □
     1 □
     -----
     1 6 □
     1 6 2
     -----
         4
```

```
        2 3
□6 ) 6 0 8
     5 □
     -----
       8 8
       7 □
     -----
       1 □
```

```
        1 □
3□ ) 4 0 9
     □ 4
     -----
       □ 9
       6 8
     -----
         1
```

빈칸에 알맞은 수를 써넣으세요.

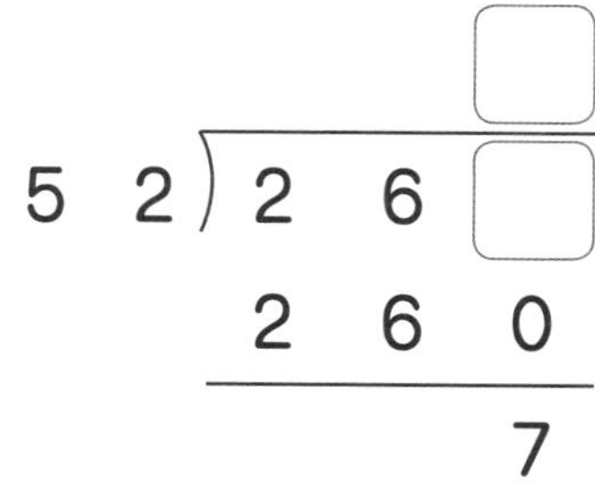


```
        □
62)5 0 0
   □ 9 6
       4
```

```
      1 2
□7)4 4 □
   3 □
     7 □
     7 4
       1
```

```
      1 4
3□)5 0 □
   □ 6
   1 4 6
   1 4 □
       □
```

```
      1 □
□5)5 2 8
   3 5
   □ □ 8
   1 7 5
       □
```

```
      □ □
17)3 6 2
   □ 4
     2 2
     1 7
       □
```

나눗셈을 하고, 나눗셈의 계산 결과가 올바른지 검산하여 알아보세요.

$17\overline{)52}$

검산 17 × ☐ + ☐ = ☐

$15\overline{)64}$

검산 15 × ☐ + ☐ = ☐

$24\overline{)70}$

검산 24 × ☐ + ☐ = ☐

$34\overline{)92}$

검산 34 × ☐ + ☐ = ☐

$21\overline{)58}$

검산 21 × ☐ + ☐ = ☐

$36\overline{)87}$

검산 36 × ☐ + ☐ = ☐

나눗셈을 하고, 나눗셈의 계산 결과가 올바른지 검산하여 알아보세요.

$15\overline{)415}$

검산 15 × ☐ + ☐ = ☐

$23\overline{)528}$

검산 23 × ☐ + ☐ = ☐

$36\overline{)442}$

검산 36 × ☐ + ☐ = ☐

$43\overline{)728}$

검산 43 × ☐ + ☐ = ☐

나눗셈을 하고, 나눗셈의 계산 결과가 올바른지 검산하여 알아보세요.

$25 \overline{)736}$

검산 25 × ☐ + ☐ = ☐

$37 \overline{)445}$

검산 37× ☐ + ☐ = ☐

$43 \overline{)883}$

검산 43 × ☐ + ☐ = ☐

$48 \overline{)617}$

검산 48 × ☐ + ☐ = ☐

나눗셈을 하고, 나눗셈의 계산 결과가 올바른지 검산하여 알아보세요.

$31\overline{)642}$

검산 31× □ + □ = □

$28\overline{)360}$

검산 28 × □ + □ = □

$19\overline{)352}$

검산 19× □ + □ = □

$35\overline{)487}$

검산 35 × □ + □ = □

나눗셈식 만들기

숫자 카드를 한번씩 사용하여 몫이 가장 클 때의 값을 구해보세요.

2 4 5

□□ ÷ □ = □

3 6 7

□□ ÷ □ = □ ··· □

8 4 5

□□ ÷ □ = □ ··· □

9 8 5 6

□□ ÷ □ = □ ··· □

2 9 4 3

□□ ÷ □ = □

6 7 3 8

□□ ÷ □ = □

숫자 카드를 한번씩 사용하여 몫이 가장 클 때의 값을 구해보세요.

5 3 7 8

□□□ ÷ □ = □ … □

9 6 7 5

□□□ ÷ □ = □ … □

4 2 7 3

□□□ ÷ □ = □ … □

4 6 3 8 7

□□□ ÷ □ = □

9 4 8 6 5

□□□ ÷ □ = □ … □

5 6 9 4 7

□□□ ÷ □ = □

숫자 카드를 한번씩 사용하여 몫이 가장 클 때의 값을 구해보세요.

1 2 4 6 7 　 □□□ ÷ □□ = □ ⋯ □

2 0 7 4 8 　 □□□ ÷ □□ = □ ⋯ □

2 9 6 3 5 　 □□□ ÷ □□ = □ ⋯ □

4 7 2 6 8 　 □□□ ÷ □□ = □ ⋯ □

1 9 7 3 5 　 □□□ ÷ □□ = □

8 2 0 4 3 　 □□□ ÷ □□ = □ ⋯ □

숫자 카드를 한번씩 사용하여 몫이 가장 클 때의 값을 구해보세요.

2 4 5 8 6

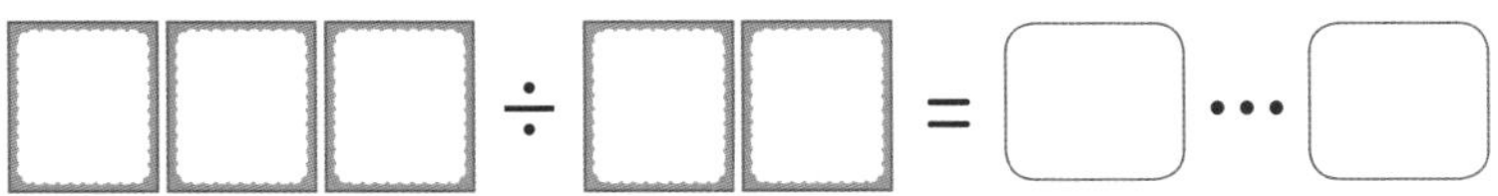

4 7 3 1 2

□□□ ÷ □□ = □ ··· □

3 8 0 9 7

□□□ ÷ □□ = □ ··· □

5 3 6 2 4

□□□ ÷ □□ = □ ··· □

1 8 2 4 6

□□□ ÷ □□ = □

7 9 4 1 3

□□□ ÷ □□ = □ ··· □

숫자 카드를 한번씩 사용하여 몫이 가장 작을 때의 값을 구해보세요.

숫자 카드	식
7 5 6	□□ ÷ □ = □
2 7 6	□□ ÷ □ = □ … □
5 3 4	□□ ÷ □ = □ … □
4 6 8 5	□□ ÷ □ = □ … □
3 7 2 6	□□ ÷ □ = □ … □
5 6 9 8	□□ ÷ □ = □ … □

숫자 카드를 한번씩 사용하여 몫이 가장 작을 때의 값을 구해보세요.

1 8 7 3

□□□ ÷ □ = □ … □

1 7 6 2

□□□ ÷ □ = □

3 6 9 8

□□□ ÷ □ = □ … □

8 2 5 3 4

□□□ ÷ □ = □ … □

0 7 6 9 2

□□□ ÷ □ = □ … □

5 8 6 0 4

□□□ ÷ □ = □ … □

숫자 카드를 한번씩 사용하여 몫이 가장 작을 때의 값을 구해보세요.

0 4 3 2 5

1 2 3 4 5

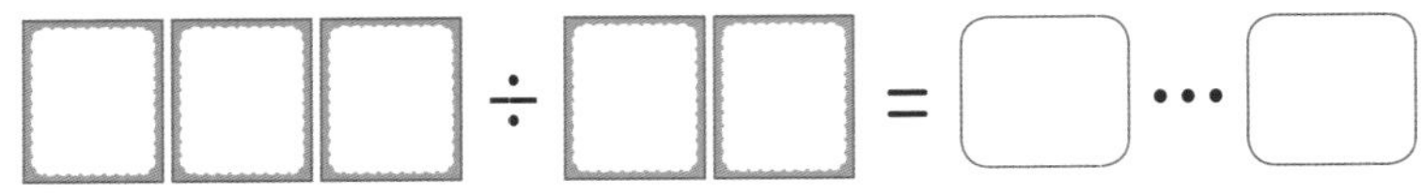

3 6 2 8 5

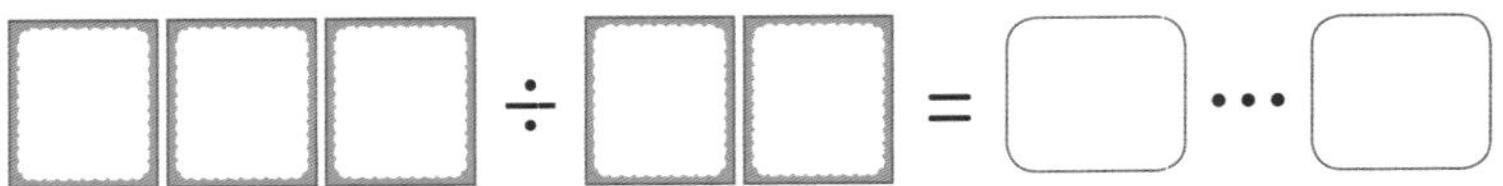

7 1 4 6 3

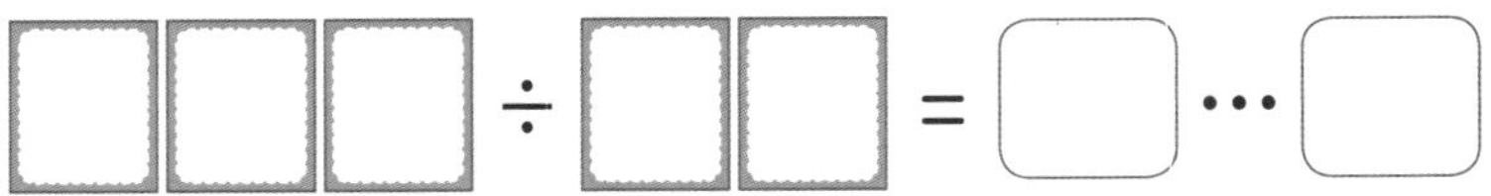

2 6 8 5 9

8 1 4 2 7

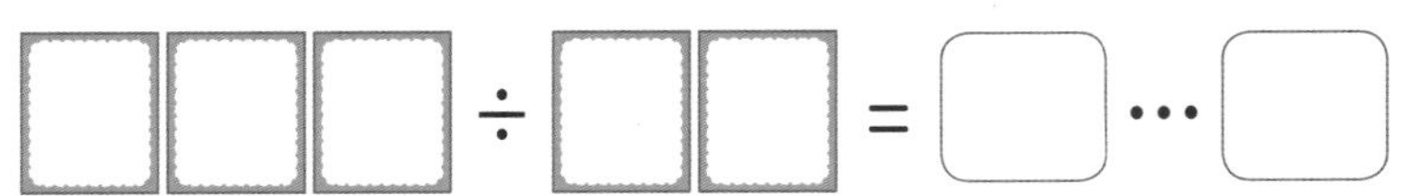

숫자 카드를 한번씩 사용하여 몫이 가장 작을 때의 값을 구해보세요.

1 3 0 4 9 　□□□ ÷ □□ = □ ··· □

2 5 1 8 6 　□□□ ÷ □□ = □ ··· □

2 4 6 8 9 　□□□ ÷ □□ = □ ··· □

3 7 8 1 9 　□□□ ÷ □□ = □ ··· □

5 2 6 4 7 　□□□ ÷ □□ = □ ··· □

6 7 8 3 0 　□□□ ÷ □□ = □ ··· □

Note

소마의 마술같은 원리셈

정답

P 10~11

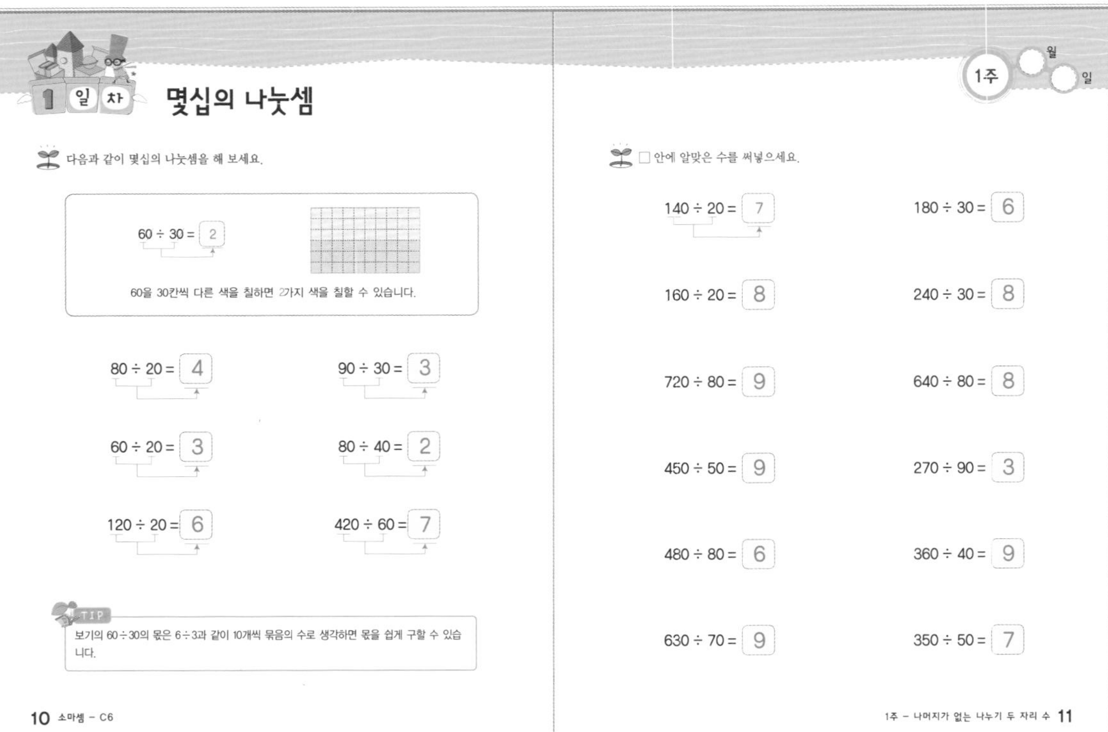

1일 차 **몇십의 나눗셈**

1주 월 일

다음과 같이 몇십의 나눗셈을 해 보세요.

60 ÷ 30 = [2]

60을 30칸씩 다른 색을 칠하면 2가지 색을 칠할 수 있습니다.

80 ÷ 20 = [4]　　90 ÷ 30 = [3]

60 ÷ 20 = [3]　　80 ÷ 40 = [2]

120 ÷ 20 = [6]　　420 ÷ 60 = [7]

TIP
보기의 60÷30의 몫은 6÷3과 같이 10개씩 묶음의 수로 생각하면 몫을 쉽게 구할 수 있습니다.

□ 안에 알맞은 수를 써넣으세요.

140 ÷ 20 = [7]　　180 ÷ 30 = [6]

160 ÷ 20 = [8]　　240 ÷ 30 = [8]

720 ÷ 80 = [9]　　640 ÷ 80 = [8]

450 ÷ 50 = [9]　　270 ÷ 90 = [3]

480 ÷ 80 = [6]　　360 ÷ 40 = [9]

630 ÷ 70 = [9]　　350 ÷ 50 = [7]

10 소마셈 – C6

1주 – 나머지가 없는 나누기 두 자리 수 11

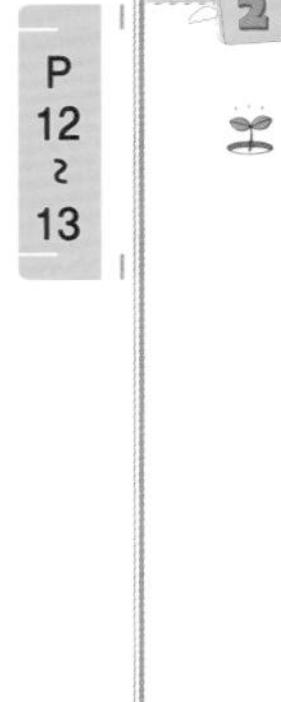

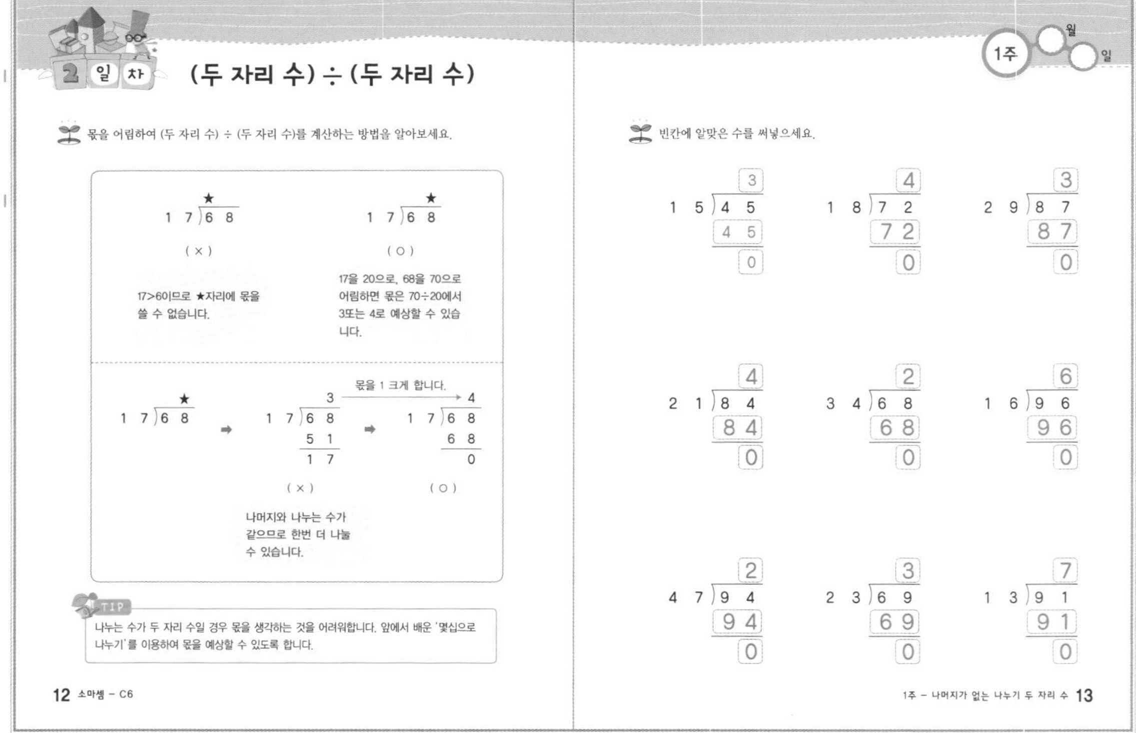

2일 차 **(두 자리 수) ÷ (두 자리 수)**

1주 월 일

몫을 어림하여 (두 자리 수) ÷ (두 자리 수)를 계산하는 방법을 알아보세요.

★ 17)68 (×)
17>6이므로 ★자리에 몫을 쓸 수 없습니다.

★ 17)68 (○)
17을 20으로, 68을 70으로 어림하면 몫은 70÷20에서 3또는 4로 예상할 수 있습니다.

17)68 ➡ 몫 3: 68 − 51 = 17 (×) ➡ 몫을 1 크게 합니다. 몫 4: 68 − 68 = 0 (○)

나머지와 나누는 수가 같으므로 한번 더 나눌 수 있습니다.

TIP
나누는 수가 두 자리 수일 경우 몫을 생각하는 것을 어려워합니다. 앞에서 배운 '몇십으로 나누기'를 이용하여 몫을 예상할 수 있도록 합니다.

빈칸에 알맞은 수를 써넣으세요.

15)45 → 몫 [3], 45 − [45] = [0]
18)72 → 몫 [4], 72 − [72] = [0]
29)87 → 몫 [3], 87 − [87] = [0]

21)84 → 몫 [4], 84 − [84] = [0]
34)68 → 몫 [2], 68 − [68] = [0]
16)96 → 몫 [6], 96 − [96] = [0]

47)94 → 몫 [2], 94 − [94] = [0]
23)69 → 몫 [3], 69 − [69] = [0]
13)91 → 몫 [7], 91 − [91] = [0]

12 소마셈 – C6

1주 – 나머지가 없는 나누기 두 자리 수 13

빈칸에 알맞은 수를 써넣으세요.

- 23)46 → 2, 46, 0
- 14)84 → 6, 84, 0
- 27)81 → 3, 81, 0
- 15)90 → 6, 90, 0
- 25)75 → 3, 75, 0
- 36)72 → 2, 72, 0
- 19)57 → 3, 57, 0
- 24)96 → 4, 96, 0
- 32)96 → 3, 96, 0

3일차 (세 자리 수)÷(두 자리 수) (1)

각 자리의 위치를 맞추어 빈칸에 알맞은 수를 써넣으세요.

34)136 (★) ➡ 34)136 → 4, 136, 0

34>13이므로 몫은 한 자리 수입니다.

- 29)174 → 6, 174, 0
- 17)119 → 7, 119, 0
- 28)196 → 7, 196, 0
- 19)152 → 8, 152, 0
- 27)135 → 5, 135, 0
- 36)144 → 4, 144, 0

빈칸에 알맞은 수를 써넣으세요.

- 29)174 → 6, 174, 0
- 18)108 → 6, 108, 0
- 26)234 → 9, 234, 0
- 41)246 → 6, 246, 0
- 32)128 → 4, 128, 0
- 24)144 → 6, 144, 0
- 33)231 → 7, 231, 0
- 62)186 → 3, 186, 0
- 53)318 → 6, 318, 0

4일차 (세 자리 수)÷(두 자리 수) (2)

각 자리의 위치를 맞추어 빈칸에 알맞은 수를 써넣으세요.

18)576 (★★) ➡ 18)576 → 3, 54, 36 ➡ 18)576 → 32, 54, 36, 36, 0

18<57이므로 몫은 두 자리 수입니다.

- 16)384 ➡ 16)384 → 24, 32, 64 ➡ 16)384 → 24, 32, 64, 64, 0
- 24)648 ➡ 24)648 → 27, 48, 168 ➡ 24)648 → 27, 48, 168, 168, 0

P 18~19

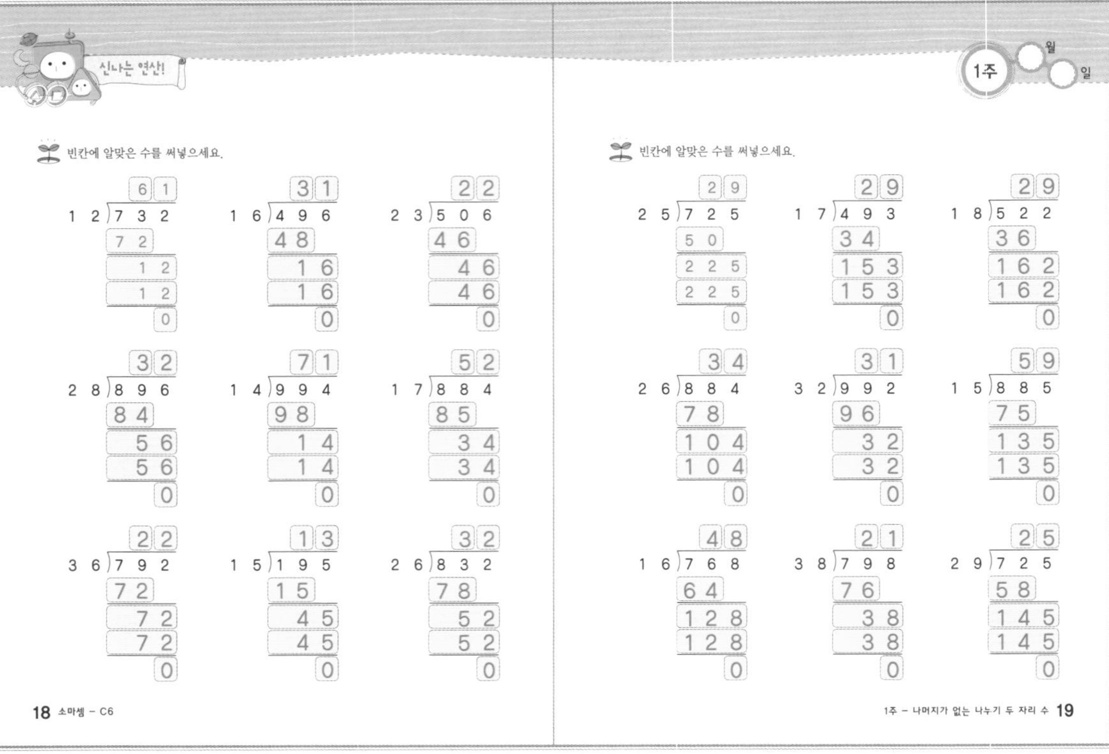

신나는 연산!

1주 월 일

빈칸에 알맞은 수를 써넣으세요.

나눗셈	몫	과정
12)732	61	72, 12, 12, 0
16)496	31	48, 16, 16, 0
23)506	22	46, 46, 46, 0
28)896	32	84, 56, 56, 0
14)994	71	98, 14, 14, 0
17)884	52	85, 34, 34, 0
36)792	22	72, 72, 72, 0
15)195	13	15, 45, 45, 0
26)832	32	78, 52, 52, 0

빈칸에 알맞은 수를 써넣으세요.

나눗셈	몫	과정
25)725	29	50, 225, 225, 0
17)493	29	34, 153, 153, 0
18)522	29	36, 162, 162, 0
26)884	34	78, 104, 104, 0
32)992	31	96, 32, 32, 0
15)885	59	75, 135, 135, 0
16)768	48	64, 128, 128, 0
38)798	21	76, 38, 38, 0
29)725	25	58, 145, 145, 0

18 소마셈 – C6

1주 – 나머지가 없는 나누기 두 자리 수 19

P 20~21

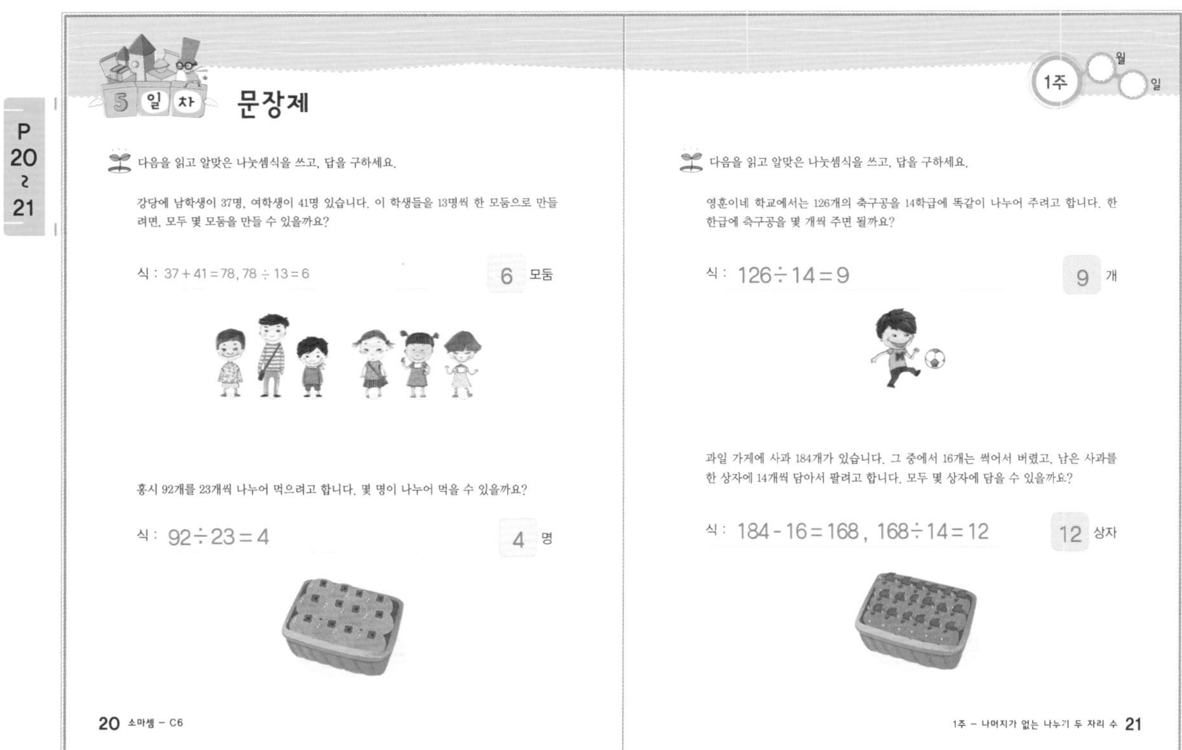

5 일 차 문장제

1주 월 일

다음을 읽고 알맞은 나눗셈식을 쓰고, 답을 구하세요.

강당에 남학생이 37명, 여학생이 41명 있습니다. 이 학생들을 13명씩 한 모둠으로 만들려면, 모두 몇 모둠을 만들 수 있을까요?

식 : 37 + 41 = 78, 78 ÷ 13 = 6 — 6 모둠

홍시 92개를 23개씩 나누어 먹으려고 합니다. 몇 명이 나누어 먹을 수 있을까요?

식 : 92 ÷ 23 = 4 — 4 명

다음을 읽고 알맞은 나눗셈식을 쓰고, 답을 구하세요.

영훈이네 학교에서는 126개의 축구공을 14학급에 똑같이 나누어 주려고 합니다. 한 한급에 축구공을 몇 개씩 주면 될까요?

식 : 126 ÷ 14 = 9 — 9 개

과일 가게에 사과 184개가 있습니다. 그 중에서 16개는 썩어서 버렸고, 남은 사과를 한 상자에 14개씩 담아서 팔려고 합니다. 모두 몇 상자에 담을 수 있을까요?

식 : 184 - 16 = 168, 168 ÷ 14 = 12 — 12 상자

20 소마셈 – C6

1주 – 나머지가 없는 나누기 두 자리 수 21

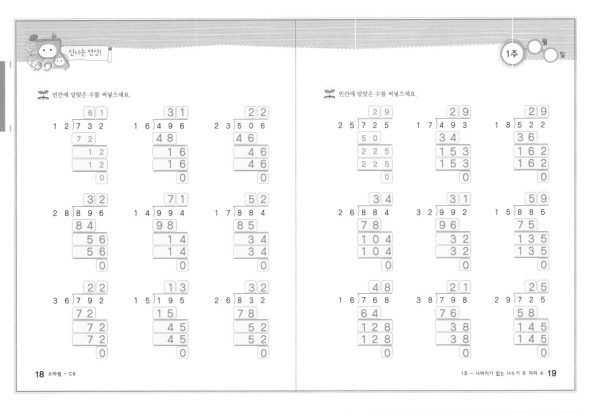

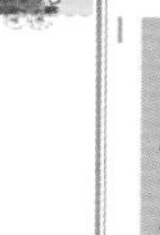

P 22 ~ 23

다음을 읽고 알맞은 나눗셈식을 쓰고, 답을 구하세요.

꽃집에 튤립이 96송이 있습니다. 튤립을 12송이씩 묶어서 꽃다발을 만들려고 합니다. 꽃다발을 모두 몇 개 만들 수 있을까요?

식 : 96÷12=8 　 8 개

수영이는 종이학 267마리가 있습니다. 그 중에서 15마리는 동생에게 주고, 남은 종이학을 18마리씩 포장하여 친구들에게 나누어 주려고 합니다. 몇 명의 친구들에게 줄 수 있을까요?

식 : 267-15=252, 252÷18=14 　 14 명

빈 병 325개를 상자에 담으려고 합니다. 한 상자에 25개씩 담는다면 필요한 상자는 모두 몇 개일까요?

식 : 325÷25=13 　 13 개

다음을 읽고 알맞은 나눗셈식을 쓰고, 답을 구하세요.

양계장에서 달걀 270개를 한 판에 30개씩 담았습니다. 달걀은 모두 몇 판일까요?

식 : 270÷30=9 　 9 판

찹쌀떡이 8개씩 7줄로 포장되어 있습니다. 14명의 친구들이 똑같이 나누어 먹으려면 한 사람이 몇 개씩 먹게 될까요?

식 : 8×7=56, 56÷14=4 　 4 개

운동장에 여학생 94명과 남학생 98명이 있습니다. 이 학생들을 16명씩 한 팀으로 만들려고 합니다. 몇 팀을 만들 수 있을까요?

식 : 94+98=192, 192÷16=12 　 12 팀

22 소마셈 - C6 　 1주 - 나머지가 없는 나누기 두 자리 수 23

P 26 ~ 27

(두 자리 수)÷(두 자리 수) (1)

몫을 어림하여 (두 자리 수) ÷ (두 자리 수)를 계산하는 방법을 알아보세요.

18)92 (★ 자리: 9 위) (×)

18>9이므로 ★자리에 몫을 쓸 수 없습니다.

18)92 (★ 자리: 2 위) (○)

18을 20으로, 92를 90으로 어림하면 몫은 90÷20에서 4또는 5로 예상할 수 있습니다.

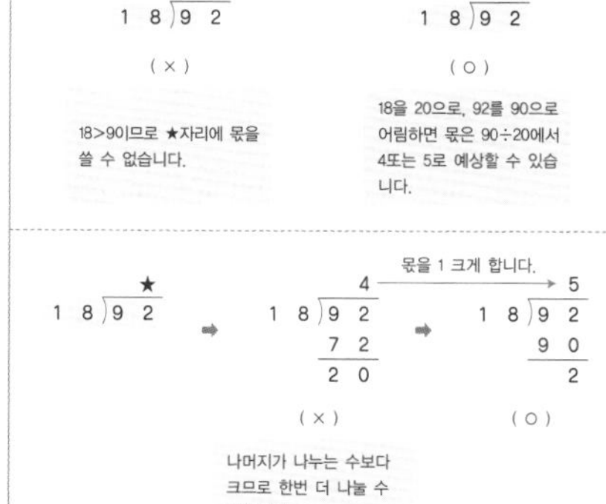

나머지가 있는 경우의 나눗셈도 나머지가 없는 경우의 몫을 구하는 방법과 같습니다. 앞에서 배운 '몇십으로 나누기'를 이용하여 몫을 예상할 수 있도록 합니다.

빈칸에 알맞은 수를 써넣으세요.

나눗셈	몫	빼는 수	나머지
13)66	5	65	1
17)71	4	68	3
26)79	3	78	1
23)97	4	92	5
32)98	3	96	2
16)83	5	80	3
40)94	2	80	14
24)78	3	72	6
18)96	5	90	6

26 소마셈 - C6 　 2주 - 나머지가 있는 나누기 두 자리 수 (1) 27

정답

P 28 ~ 29

빈칸에 알맞은 수를 써넣으세요.

나눗셈	몫	빼는 수	나머지
20)51	2	40	11
14)92	6	84	8
21)69	3	63	6
13)90	6	78	12
27)88	3	81	7
30)74	2	60	14
16)73	4	64	9
28)60	2	56	4
33)76	2	66	10

2일차 (두 자리 수) ÷ (두 자리 수) (2)

각 자리의 위치를 맞추어 빈칸에 알맞은 수를 써넣으세요.

나눗셈	몫	빼는 수	나머지
23)97	4	92	5
16)81	5	80	1
24)83	3	72	11
15)81	5	75	6
21)70	3	63	7
17)94	5	85	9
42)88	2	84	4
32)99	3	96	3
26)87	3	78	9

P 30 ~ 31

각 자리의 위치를 맞추어 빈칸에 알맞은 수를 써넣으세요.

나눗셈	몫	빼는 수	나머지
14)92	6	84	8
17)60	3	51	9
29)99	3	87	12
34)70	2	68	2
21)69	3	63	6
15)83	5	75	8
35)88	2	70	18
22)90	4	88	2
25)93	3	75	18

3일차 (세 자리 수) ÷ (두 자리 수) (1)

각 자리의 위치를 맞추어 빈칸에 알맞은 수를 써넣으세요.

27)152 ★ ➡ 27)152, 몫 5 …… 몫, 135, 17 …… 나머지

27>15이므로 몫은 한 자리 수입니다.

나눗셈	몫	빼는 수	나머지
18)118	6	108	10
23)172	7	161	11
28)125	4	112	13
16)130	8	128	2
32)230	7	224	6
30)174	5	150	24

2주 월 일

빈칸에 알맞은 수를 써넣으세요.

- 28)151 → 몫 5, 140, 11
- 13)103 → 몫 7, 91, 12
- 24)152 → 몫 6, 144, 8
- 40)345 → 몫 8, 320, 25
- 32)111 → 몫 3, 96, 15
- 21)130 → 몫 6, 126, 4
- 36)193 → 몫 5, 180, 13
- 50)473 → 몫 9, 450, 23
- 54)437 → 몫 8, 432, 5

4 일 차

(세 자리 수) ÷ (두 자리 수) (2)

각 자리의 위치를 맞추어 빈칸에 알맞은 수를 써넣으세요.

26)738 ★★ → 26)738: 2, 52, 218 → 26)738: 28, 52, 218, 208, 10

26<73이므로 몫은 두 자리 수입니다.

- 17)393 → 23, 34, 53 → 23, 34, 53, 51, 2
- 23)823 → 35, 69, 133 → 35, 69, 133, 115, 18

P 32 ~ 33

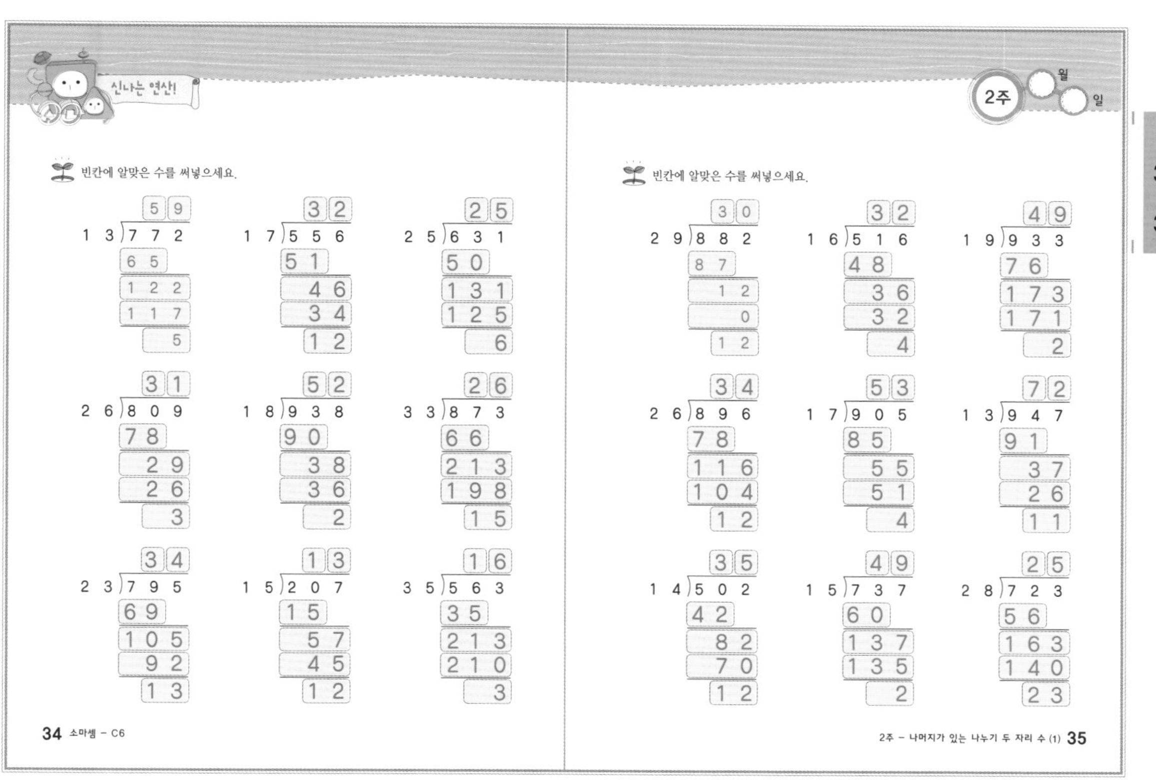

P 34 ~ 35

정답

P 36 ~ 37

5 일 차 (세 자리 수) ÷ (두 자리 수) (3)

각 자리의 위치를 맞추어 빈칸에 알맞은 수를 써넣으세요.

```
     15          8          7
15)237      18)149     23)180
   15          144        161
    87           5         19
    75
    12
```

```
     43         22          8
21)907      36)822     26)210
   84          72         208
    67         102          2
    63          72
     4          30
```

```
     13          8         13
27)371      55)491     24)331
   27          440        24
   101          51         91
    81                     72
    20                     19
```


2주 월 일

각 자리의 위치를 맞추어 빈칸에 알맞은 수를 써넣으세요.

```
      7         34         37
36)287      18)621     25)942
   252         54         75
    35          81        192
                72        175
                 9         17
```

```
     14          4          6
69)993      42)208     31)188
   69          168        186
   303          40          2
   276
    27
```

```
      6         10         24
77)518      79)852     38)931
   462         79         76
    56          62        171
                          152
                           19
```


P 40 ~ 41

1 일 차 잘못된 식

다음과 같이 계산이 잘못된 곳을 찾아 표시하고, 답을 바르게 고쳐 보세요.

32)671, 몫 ~~2~~ / 64 / 31 ➡ 몫 20 / 32)671 / 64 / 31 / 0 / 31

18)450, 몫 2 ~~4~~ / 36 / 90 / ~~72~~ / ~~18~~ ➡ 몫 25 / 18)450 / 36 / 90 / 90 / 0

43)536, 몫 ~~102~~ / 43 / 106 / 86 / 20 ➡ 몫 12 / 43)536 / 43 / 106 / 86 / 20

3주 월 일

계산이 잘못된 곳을 찾아 표시하고, 답을 바르게 고쳐 보세요.

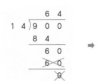

14)900, 몫 64 / 84 / 60 / ~~60~~ / ~~0~~ ➡ 몫 64 / 14)900 / 84 / 60 / 56 / 4

12)257, 몫 21 / 24 / ~~107~~ / 12 / ~~95~~ ➡ 몫 21 / 12)257 / 24 / 17 / 12 / 5

27)562, 몫 2 ~~1~~ / 54 / 22 / ~~27~~ / ~~5~~ ➡ 몫 20 / 27)562 / 54 / 22 / 0 / 22

2일차 나눗셈 퍼즐

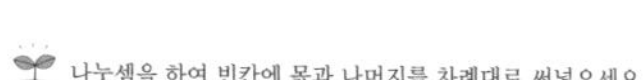

P 42 ~ 43

나눗셈을 하여 빈칸에 몫과 나머지를 차례대로 써넣으세요.

÷14

수	몫		나머지
53	3	…	11
35	2	…	7
90	6	…	6
111	7	…	13

÷23

수	몫		나머지
56	2	…	10
70	3	…	1
77	3	…	8
176	7	…	15

÷17

수	몫		나머지
75	4	…	7
92	5	…	7
100	5	…	15
150	8	…	14

÷30

수	몫		나머지
68	2	…	8
94	3	…	4
101	3	…	11
223	7	…	13

3주 월 일

나눗셈을 하여 빈칸에 몫과 나머지를 차례대로 써넣으세요.

÷16

수	94	52	100	120	134
몫	5	3	6	7	8
나머지	14	4	4	8	6

÷18

수	50	81	97	142	153
몫	2	4	5	7	8
나머지	14	9	7	16	9

÷25

수	84	92	137	160	243
몫	3	3	5	6	9
나머지	9	17	12	10	18

3일차 벌레 먹은 나눗셈

P 44 ~ 45

빈칸에 알맞은 수를 써넣으세요.

```
       7
18)136
   126
    10
```

```
       5
34)176
   170
     6
```

```
      23
14)327
   28
    47
    42
     5
```

```
      31
17)530
   51
    20
    17
     3
```

```
      15
26)409
   26
   149
   130
    19
```

```
      13
32)416
   32
    96
    96
     0
```


3주 월 일

빈칸에 알맞은 수를 써넣으세요.

```
       6
42)280
   252
    28
```

```
       7
56)421
   392
    29
```

```
      14
48)704
   48
   224
   192
    32
```

```
      22
23)521
   46
    61
    46
    15
```

```
      26
17)443
   34
   103
   102
     1
```

```
      39
19)750
   57
   180
   171
     9
```

P 46 ~ 47

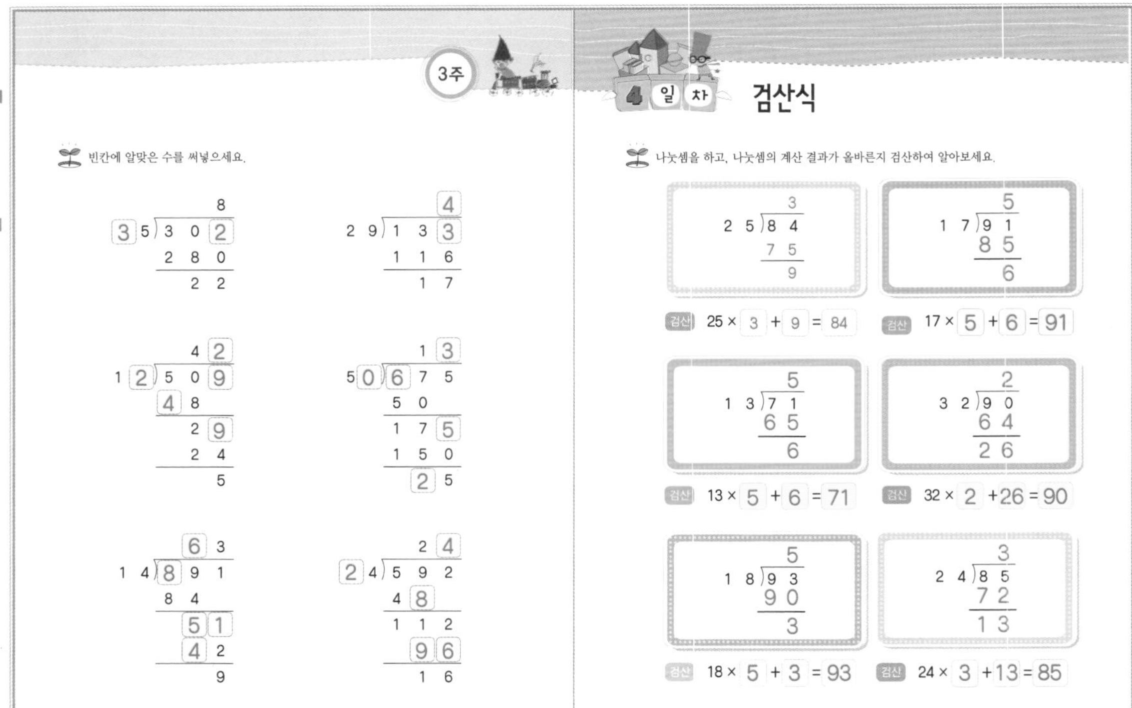
3주

빈칸에 알맞은 수를 써넣으세요.

35)302 — 몫 8, 280, 22

29)133 — 몫 4, 116, 17

12)509 — 몫 42, 48, 29, 24, 5

50)675 — 몫 13, 50, 175, 150, 25

14)891 — 몫 63, 84, 51, 42, 9

24)592 — 몫 24, 48, 112, 96, 16

46 소마셈 – C6

4일차 검산식

나눗셈을 하고, 나눗셈의 계산 결과가 올바른지 검산하여 알아보세요.

25)84 — 몫 3, 75, 9
검산 25 × 3 + 9 = 84

17)91 — 몫 5, 85, 6
검산 17 × 5 + 6 = 91

13)71 — 몫 5, 65, 6
검산 13 × 5 + 6 = 71

32)90 — 몫 2, 64, 26
검산 32 × 2 + 26 = 90

18)93 — 몫 5, 90, 3
검산 18 × 5 + 3 = 93

24)85 — 몫 3, 72, 13
검산 24 × 3 + 13 = 85

3주 – 나머지가 있는 나누기 두 자리 수 (2) 47

P 48 ~ 49

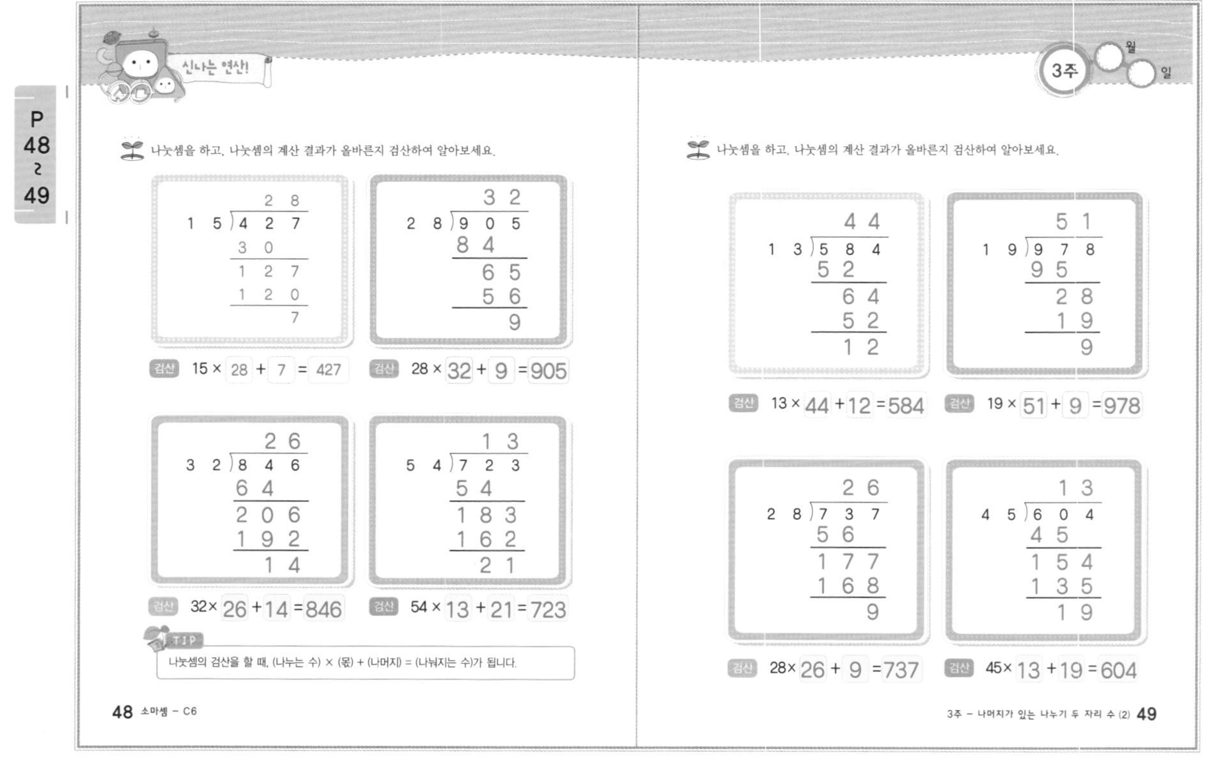
신나는 연산!

나눗셈을 하고, 나눗셈의 계산 결과가 올바른지 검산하여 알아보세요.

15)427 — 몫 28, 30, 127, 120, 7
검산 15 × 28 + 7 = 427

28)905 — 몫 32, 84, 65, 56, 9
검산 28 × 32 + 9 = 905

32)846 — 몫 26, 64, 206, 192, 14
검산 32 × 26 + 14 = 846

54)723 — 몫 13, 54, 183, 162, 21
검산 54 × 13 + 21 = 723

TIP
나눗셈의 검산을 할 때, (나누는 수) × (몫) + (나머지) = (나눠지는 수)가 됩니다.

48 소마셈 – C6

3주 월 일

나눗셈을 하고, 나눗셈의 계산 결과가 올바른지 검산하여 알아보세요.

13)584 — 몫 44, 52, 64, 52, 12
검산 13 × 44 + 12 = 584

19)978 — 몫 51, 95, 28, 19, 9
검산 19 × 51 + 9 = 978

28)737 — 몫 26, 56, 177, 168, 9
검산 28 × 26 + 9 = 737

45)604 — 몫 13, 45, 154, 135, 19
검산 45 × 13 + 19 = 604

3주 – 나머지가 있는 나누기 두 자리 수 (2) 49

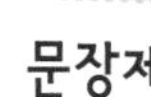

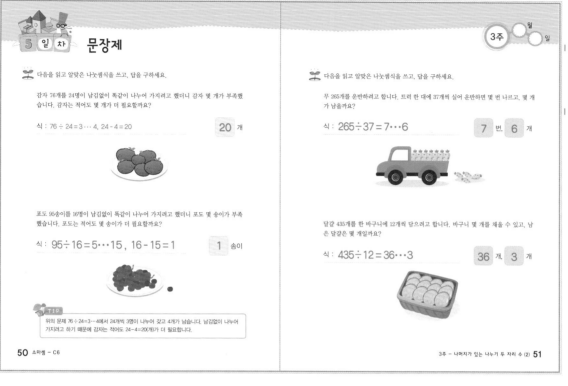

5일차 문장제

다음을 읽고 알맞은 나눗셈식을 쓰고, 답을 구하세요.

감자 76개를 24명이 남김없이 똑같이 나누어 가지려고 했더니 감자 몇 개가 부족했습니다. 감자는 적어도 몇 개가 더 필요할까요?

식 : 76 ÷ 24 = 3 … 4, 24 - 4 = 20 — 20 개

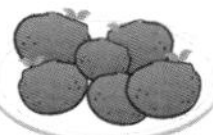

포도 95송이를 16명이 남김없이 똑같이 나누어 가지려고 했더니 포도 몇 송이가 부족했습니다. 포도는 적어도 몇 송이가 더 필요할까요?

식 : 95÷16=5…15, 16-15=1 — 1 송이

TIP
위의 문제 76÷24=3…4에서 24개씩 3명이 나누어 갖고 4개가 남습니다. 남김없이 나누어 가지려고 하기 때문에 감자는 적어도 24−4=20(개)가 더 필요합니다.

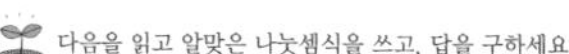

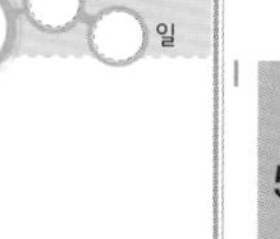

3주 월 일

P 50 ~ 51

다음을 읽고 알맞은 나눗셈식을 쓰고, 답을 구하세요.

무 265개를 운반하려고 합니다. 트럭 한 대에 37개씩 실어 운반하면 몇 번 나르고, 몇 개가 남을까요?

식 : 265÷37=7…6 — 7 번, 6 개

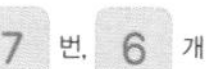

달걀 435개를 한 바구니에 12개씩 담으려고 합니다. 바구니 몇 개를 채울 수 있고, 남은 달걀은 몇 개일까요?

식 : 435÷12=36…3 — 36 개, 3 개

3주

P 52 ~ 53

다음을 읽고 알맞은 나눗셈식을 쓰고, 답을 구하세요.

길이가 45cm인 끈으로 리본을 한 개 만들 수 있습니다. 길이가 725cm인 끈으로는 리본을 몇 개 만들 수 있을까요?

식 : 725÷45=16…5 — 16 개

형은 구슬 38개를 가져오고, 동생은 구슬 53개를 가져왔습니다. 두 사람이 가져온 구슬을 한 통에 19개씩 담는다면, 몇 통이 되고 몇 개가 남을까요?

식 : 38+53=91, 91÷19=4…15 — 4 통, 15 개

사탕 87개를 16명이 남김없이 똑같이 나누어 가지려고 합니다. 사탕은 적어도 몇 개가 더 필요할까요?

식 : 87÷16=5…7, 16-7=9 — 9 개

다음을 읽고 알맞은 나눗셈식을 쓰고, 답을 구하세요.

우유 447L를 34L들이 통에 담으려고 합니다. 우유는 몇 통이 되고, 또 몇 L가 남을까요?

식 : 447÷34=13…5 — 13 통, 5 L

형우는 117쪽짜리 동화책을 매일 27쪽씩 읽으려고 합니다. 동화책을 다 읽으려면, 같은 빠르기로 며칠을 읽어야 할까요?

식 : 117÷27=4…9 — 5 일

민영이는 도너츠 67개를 한 상자에 12개씩 나누어 담고 남은 것을 먹었습니다. 민영이가 먹은 도너츠는 몇 개일까요?

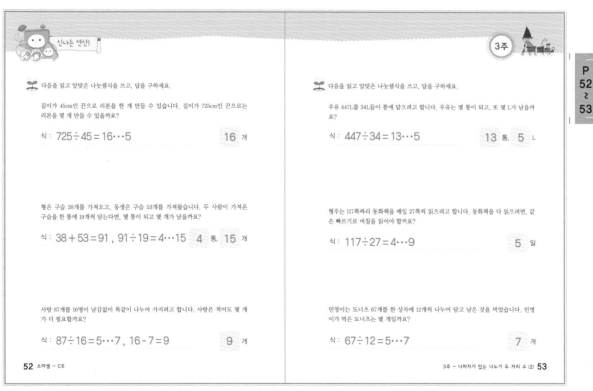

식 : 67÷12=5…7 — 7 개

P 56 ~ 57

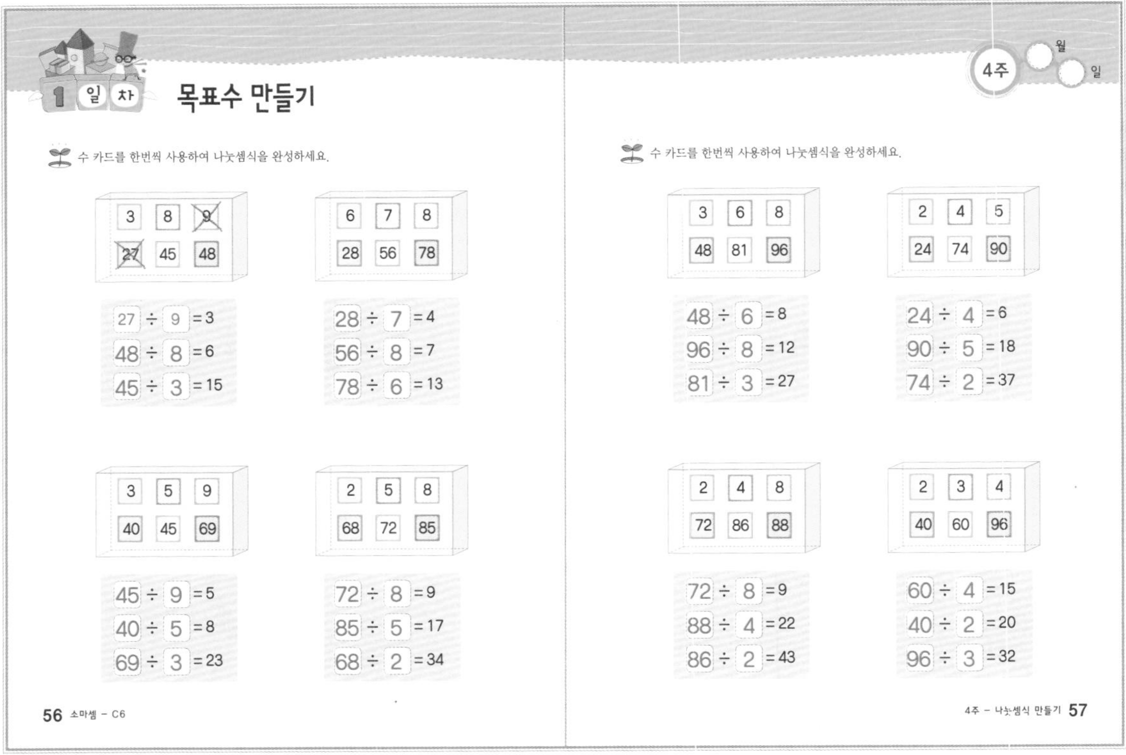

1일차 목표수 만들기

4주 월 일

수 카드를 한번씩 사용하여 나눗셈식을 완성하세요.

(카드: 3, 8, 9 / 27, 45, 48)
27 ÷ 9 = 3
48 ÷ 8 = 6
45 ÷ 3 = 15

(카드: 6, 7, 8 / 28, 56, 78)
28 ÷ 7 = 4
56 ÷ 8 = 7
78 ÷ 6 = 13

(카드: 3, 5, 9 / 40, 45, 69)
45 ÷ 9 = 5
40 ÷ 5 = 8
69 ÷ 3 = 23

(카드: 2, 5, 8 / 68, 72, 85)
72 ÷ 8 = 9
85 ÷ 5 = 17
68 ÷ 2 = 34

수 카드를 한번씩 사용하여 나눗셈식을 완성하세요.

(카드: 3, 6, 8 / 48, 81, 96)
48 ÷ 6 = 8
96 ÷ 8 = 12
81 ÷ 3 = 27

(카드: 2, 4, 5 / 24, 74, 90)
24 ÷ 4 = 6
90 ÷ 5 = 18
74 ÷ 2 = 37

(카드: 2, 4, 8 / 72, 86, 88)
72 ÷ 8 = 9
88 ÷ 4 = 22
86 ÷ 2 = 43

(카드: 2, 3, 4 / 40, 60, 96)
60 ÷ 4 = 15
40 ÷ 2 = 20
96 ÷ 3 = 32

56 소마셈 – C6

4주 – 나눗셈식 만들기 57

P 58 ~ 59

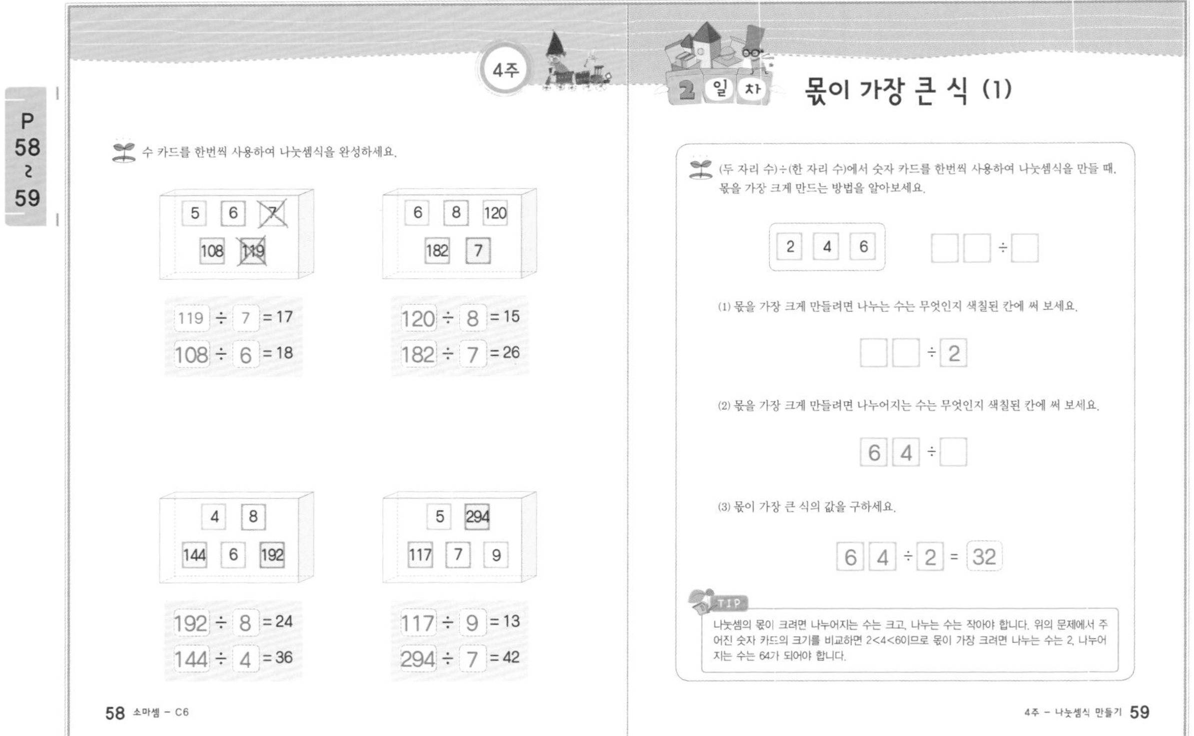

4주

수 카드를 한번씩 사용하여 나눗셈식을 완성하세요.

(카드: 5, 6, 7 / 108, 119)
119 ÷ 7 = 17
108 ÷ 6 = 18

(카드: 6, 8, 120 / 182, 7)
120 ÷ 8 = 15
182 ÷ 7 = 26

(카드: 4, 8 / 144, 6, 192)
192 ÷ 8 = 24
144 ÷ 4 = 36

(카드: 5, 294 / 117, 7, 9)
117 ÷ 9 = 13
294 ÷ 7 = 42

2일차 몫이 가장 큰 식 (1)

(두 자리 수)÷(한 자리 수)에서 숫자 카드를 한번씩 사용하여 나눗셈식을 만들 때, 몫을 가장 크게 만드는 방법을 알아보세요.

(카드: 2, 4, 6) □□ ÷ □

(1) 몫을 가장 크게 만들려면 나누는 수는 무엇인지 색칠된 칸에 써 보세요.

□□ ÷ 2

(2) 몫을 가장 크게 만들려면 나누어지는 수는 무엇인지 색칠된 칸에 써 보세요.

6 4 ÷ □

(3) 몫이 가장 큰 식의 값을 구하세요.

6 4 ÷ 2 = 32

TIP

나눗셈의 몫이 크려면 나누어지는 수는 크고, 나누는 수는 작아야 합니다. 위의 문제에서 주어진 숫자 카드의 크기를 비교하면 2<4<6이므로 몫이 가장 크려면 나누는 수는 2, 나누어지는 수는 64가 되어야 합니다.

58 소마셈 – C6

4주 – 나눗셈식 만들기 59

숫자 카드를 한번씩 사용하여 몫이 가장 클 때의 값을 구해보세요.

3 2(×) 5	5 3 ÷ 2 = 26 … 1
3 4 5	5 4 ÷ 3 = 18
9 7 3	9 7 ÷ 3 = 32 … 1
2 6 4 8	8 6 ÷ 2 = 43
3 7 4 5	7 5 ÷ 3 = 25
4 8 7 6	8 7 ÷ 4 = 21 … 3

4주 월 일

P 60 ~ 61

(세 자리 수)÷(한 자리 수)에서 숫자 카드를 한번씩 사용하여 나눗셈식을 만들 때, 몫을 가장 크게 만드는 방법을 알아보세요.

2 4 5 6 □□□ ÷ □

(1) 몫을 가장 크게 만들려면 나누는 수는 무엇인지 색칠된 칸에 써 보세요.

□□□ ÷ 2

(2) 몫을 가장 크게 만들려면 나누어지는 수는 무엇인지 색칠된 칸에 써 보세요.

6 5 4 ÷ □

(3) 몫이 가장 큰 식의 값을 구하세요.

6 5 4 ÷ 2 = 327

TIP

나눗셈의 몫이 크려면 나누어지는 수는 크고, 나누는 수는 작아야 합니다. 위의 문제에서 주어진 숫자 카드의 크기를 비교하면 2<4<5<6이므로 몫이 가장 크려면 나누는 수는 2, 나누어지는 수는 654가 되어야 합니다.

4주

숫자 카드를 한번씩 사용하여 몫이 가장 클 때의 값을 구해보세요.

4 3(×) 5 6	6 5 4 ÷ 3 = 218
2 5 7 8	8 7 5 ÷ 2 = 437 … 1
2 9 6 4	9 6 4 ÷ 2 = 482
1 3 7 9 5	9 7 5 ÷ 1 = 975
3 4 5 7 6	7 6 5 ÷ 3 = 255
4 7 8 5 9	9 8 7 ÷ 4 = 246 … 3

3 일차

몫이 가장 큰 식 (2)

P 62 ~ 63

(세 자리 수)÷(두 자리 수)에서 숫자 카드를 한번씩 사용하여 나눗셈식을 만들 때, 몫을 가장 크게 만드는 방법을 알아보세요.

1 2 3 5 6 □□□ ÷ □□

(1) 몫을 가장 크게 만들려면 나누는 수는 무엇인지 색칠된 칸에 써 보세요.

□□□ ÷ 1 2

(2) 몫을 가장 크게 만들려면 나누어지는 수는 무엇인지 색칠된 칸에 써 보세요.

6 5 3 ÷ □□

(3) 몫이 가장 큰 식의 값을 구하세요.

6 5 3 ÷ 1 2 = 54 … 5

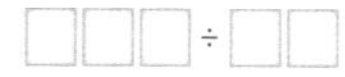
TIP

나눗셈의 몫이 크려면 나누어지는 수는 크고, 나누는 수는 작아야 합니다. 위의 문제에서 주어진 숫자 카드의 크기를 비교하면 1<2<3<5<6이므로 몫이 가장 크려면 나누는 수는 12, 나누어지는 수는 653이 되어야 합니다.

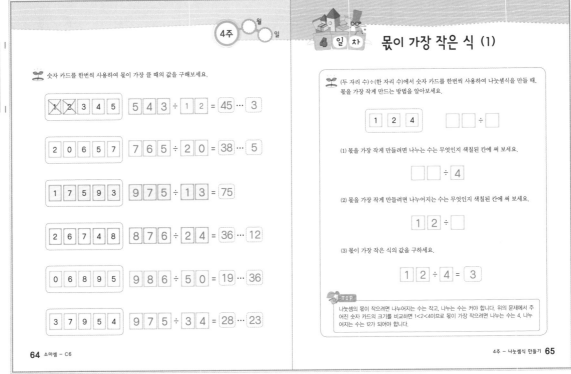

P 64 ~ 65

4주 월 일

숫자 카드를 한번씩 사용하여 몫이 가장 클 때의 값을 구해보세요.

~~1~~ ~~2~~ 3 4 5	543 ÷ 12 = 45 … 3
2 0 6 5 7	765 ÷ 20 = 38 … 5
1 7 5 9 3	975 ÷ 13 = 75
2 6 7 4 8	876 ÷ 24 = 36 … 12
0 6 8 9 5	986 ÷ 50 = 19 … 36
3 7 9 5 4	975 ÷ 34 = 28 … 23

64 소마셈 – C6

4일차

몫이 가장 작은 식 (1)

(두 자리 수)÷(한 자리 수)에서 숫자 카드를 한번씩 사용하여 나눗셈식을 만들 때, 몫을 가장 작게 만드는 방법을 알아보세요.

1 2 4 　 □□ ÷ □

(1) 몫을 가장 작게 만들려면 나누는 수는 무엇인지 색칠된 칸에 써 보세요.

□□ ÷ 4

(2) 몫을 가장 작게 만들려면 나누어지는 수는 무엇인지 색칠된 칸에 써 보세요.

12 ÷ □

(3) 몫이 가장 작은 식의 값을 구하세요.

12 ÷ 4 = 3

TIP

나눗셈의 몫이 작으려면 나누어지는 수는 작고, 나누는 수는 커야 합니다. 위의 문제에서 주어진 숫자 카드의 크기를 비교하면 1<2<4이므로 몫이 가장 작으려면 나누는 수는 4, 나누어지는 수는 12가 되어야 합니다.

4주 – 나눗셈식 만들기 65

P 66 ~ 67

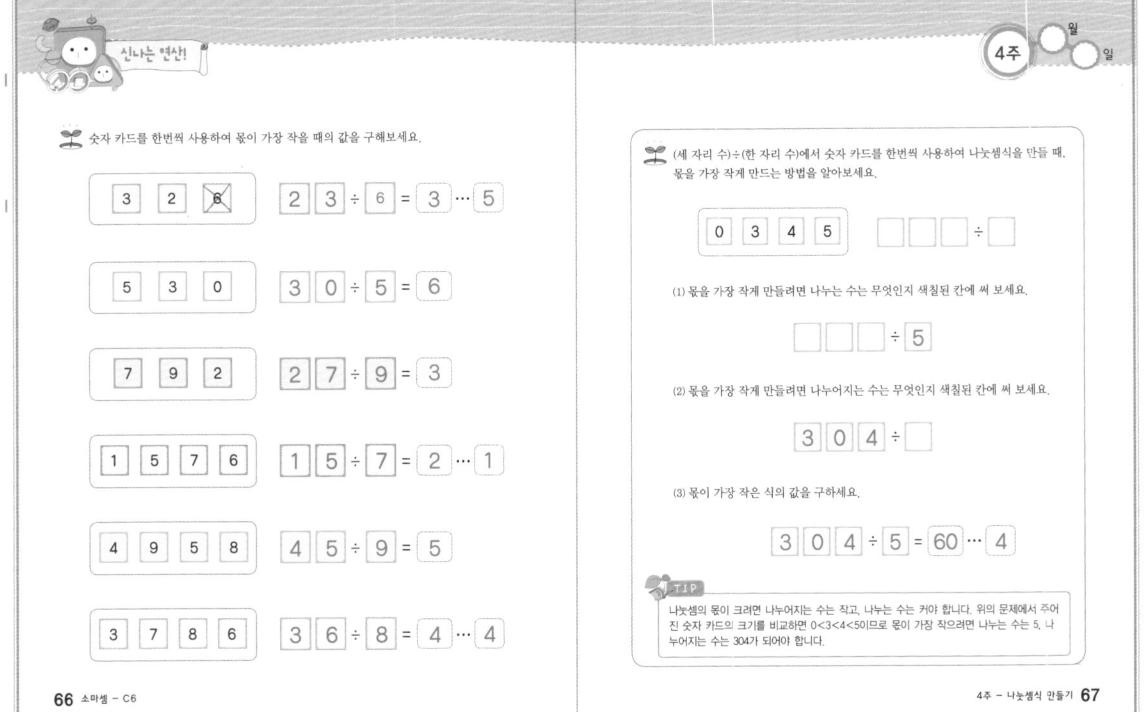

신나는 연산!

숫자 카드를 한번씩 사용하여 몫이 가장 작을 때의 값을 구해보세요.

3 2 ~~6~~	23 ÷ 6 = 3 … 5
5 3 0	30 ÷ 5 = 6
7 9 2	27 ÷ 9 = 3
1 5 7 6	15 ÷ 7 = 2 … 1
4 9 5 8	45 ÷ 9 = 5
3 7 8 6	36 ÷ 8 = 4 … 4

66 소마셈 – C6

4주 월 일

(세 자리 수)÷(한 자리 수)에서 숫자 카드를 한번씩 사용하여 나눗셈식을 만들 때, 몫을 가장 작게 만드는 방법을 알아보세요.

0 3 4 5 　 □□□ ÷ □

(1) 몫을 가장 작게 만들려면 나누는 수는 무엇인지 색칠된 칸에 써 보세요.

□□□ ÷ 5

(2) 몫을 가장 작게 만들려면 나누어지는 수는 무엇인지 색칠된 칸에 써 보세요.

304 ÷ □

(3) 몫이 가장 작은 식의 값을 구하세요.

304 ÷ 5 = 60 … 4

TIP

나눗셈의 몫이 크려면 나누어지는 수는 작고, 나누는 수는 커야 합니다. 위의 문제에서 주어진 숫자 카드의 크기를 비교하면 0<3<4<5이므로 몫이 가장 작으려면 나누는 수는 5, 나누어지는 수는 304가 되어야 합니다.

4주 – 나눗셈식 만들기 67

숫자 카드를 한번씩 사용하여 몫이 가장 작을 때의 값을 구해보세요.

2 4 0 6(×)	204 ÷ 6 = 34
1 5 6 8	156 ÷ 8 = 19 … 4
5 9 7 3	357 ÷ 9 = 39 … 6
1 7 9 6 2	126 ÷ 9 = 14
2 7 6 8 5	256 ÷ 8 = 32
3 6 0 7 4	304 ÷ 7 = 43 … 3

몫이 가장 작은 식 (2)

P 68 ~ 69

(세 자리 수)÷(두 자리 수)에서 숫자 카드를 한번씩 사용하여 나눗셈식을 만들 때, 몫을 가장 작게 만드는 방법을 알아보세요.

0 1 2 3 4 　 □□□ ÷ □□

(1) 몫을 가장 작게 만들려면 나누는 수는 무엇인지 색칠된 칸에 써 보세요.

□□□ ÷ 43

(2) 몫을 가장 작게 만들려면 나누어지는 수는 무엇인지 색칠된 칸에 써 보세요.

102 ÷ □□

(3) 몫이 가장 작은 식의 값을 구하세요.

102 ÷ 43 = 2 … 16

나눗셈의 몫이 작으려면 나누어지는 수는 작고, 나누는 수는 커야 합니다. 위의 문제에서 주어진 숫자 카드의 크기를 비교하면 0<1<2<3<4이므로 몫이 가장 크려면 나누는 수는 43, 나누어지는 수는 102가 되어야 합니다.

P 70

숫자 카드를 한번씩 사용하여 몫이 가장 작을 때의 값을 구해보세요.

0 1 3 5(×) 6(×)	103 ÷ 65 = 1 … 38
3 1 2 4 5	123 ÷ 54 = 2 … 15
2 7 8 3 4	234 ÷ 87 = 2 … 60
3 9 4 8 5	345 ÷ 98 = 3 … 51
2 7 0 8 5	205 ÷ 87 = 2 … 31
6 4 7 3 0	304 ÷ 76 = 4

P 72~73

1주차 drill

나머지가 없는 나누기 두 자리 수

빈칸에 알맞은 수를 써넣으세요.

17)85 → 5, 85, 0
23)92 → 4, 92, 0
18)54 → 3, 54, 0

15)45 → 3, 45, 0
16)96 → 6, 96, 0
37)74 → 2, 74, 0

27)81 → 3, 81, 0
18)90 → 5, 90, 0
24)72 → 3, 72, 0

빈칸에 알맞은 수를 써넣으세요.

12)72 → 6, 72, 0
11)99 → 9, 99, 0
12)96 → 8, 96, 0

17)51 → 3, 51, 0
26)52 → 2, 52, 0
28)84 → 3, 84, 0

31)93 → 3, 93, 0
19)95 → 5, 95, 0
26)78 → 3, 78, 0

P 74~75

빈칸에 알맞은 수를 써넣으세요.

13)104 → 8, 104, 0
16)112 → 7, 112, 0
25)125 → 5, 125, 0

34)306 → 9, 306, 0
28)140 → 5, 140, 0
24)168 → 7, 168, 0

36)288 → 8, 288, 0
53)477 → 9, 477, 0
46)184 → 4, 184, 0

빈칸에 알맞은 수를 써넣으세요.

17)153 → 9, 153, 0
21)126 → 6, 126, 0
23)184 → 8, 184, 0

32)256 → 8, 256, 0
25)100 → 4, 100, 0
27)189 → 7, 189, 0

45)135 → 3, 135, 0
38)228 → 6, 228, 0
57)285 → 5, 285, 0

P 76 ~ 77

1주차 drill

빈칸에 알맞은 수를 써넣으세요.

문제	몫	과정
13)689	53	65, 39, 39, 0
15)705	47	60, 105, 105, 0
24)840	35	72, 120, 120, 0
27)675	25	54, 135, 135, 0
16)544	34	48, 64, 64, 0
18)954	53	90, 54, 54, 0
35)910	26	70, 210, 210, 0
14)406	29	28, 126, 126, 0
27)486	18	27, 216, 216, 0

빈칸에 알맞은 수를 써넣으세요.

문제	몫	과정
24)576	24	48, 96, 96, 0
17)544	32	51, 34, 34, 0
14)364	26	28, 84, 84, 0
26)910	35	78, 130, 130, 0
32)576	18	32, 256, 256, 0
16)528	33	48, 48, 48, 0
18)828	46	72, 108, 108, 0
37)629	17	37, 259, 259, 0
28)784	28	56, 224, 224, 0

P 78 ~ 79

1주차 drill

빈칸에 알맞은 수를 써넣으세요.

문제	몫	과정
22)374	17	22, 154, 154, 0
18)414	23	36, 54, 54, 0
27)864	32	81, 54, 54, 0
45)945	21	90, 45, 45, 0
28)924	33	84, 84, 84, 0
24)336	14	24, 96, 96, 0
16)672	42	64, 32, 32, 0
34)850	25	68, 170, 170, 0
13)962	74	91, 52, 52, 0

빈칸에 알맞은 수를 써넣으세요.

문제	몫	과정
14)994	71	98, 14, 14, 0
11)374	34	33, 44, 44, 0
16)384	24	32, 64, 64, 0
44)660	15	44, 220, 220, 0
23)414	18	23, 184, 184, 0
23)989	43	92, 69, 69, 0
20)640	32	60, 40, 40, 0
40)680	17	40, 280, 280, 0
37)592	16	37, 222, 222, 0

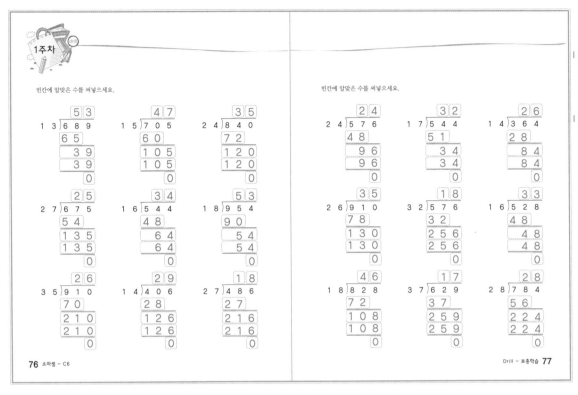

P 80 ~ 81

2주차 drill

나머지가 있는 나누기 두 자리 수 (1)

빈칸에 알맞은 수를 써넣으세요.

- 19)59 — 3, 57, 2
- 14)86 — 6, 84, 2
- 23)72 — 3, 69, 3
- 14)99 — 7, 98, 1
- 26)80 — 3, 78, 2
- 17)73 — 4, 68, 5
- 27)61 — 2, 54, 7
- 18)82 — 4, 72, 10
- 32)97 — 3, 96, 1

빈칸에 알맞은 수를 써넣으세요.

- 18)85 — 4, 72, 13
- 12)75 — 6, 72, 3
- 14)94 — 6, 84, 10
- 22)57 — 2, 44, 13
- 31)86 — 2, 62, 24
- 18)77 — 4, 72, 5
- 16)85 — 5, 80, 5
- 27)70 — 2, 54, 16
- 24)77 — 3, 72, 5

P 82 ~ 83

2주차 drill

빈칸에 알맞은 수를 써넣으세요.

- 18)147 — 8, 144, 3
- 19)120 — 6, 114, 6
- 28)123 — 4, 112, 11
- 23)215 — 9, 207, 8
- 33)200 — 6, 198, 2
- 16)109 — 6, 96, 13
- 40)294 — 7, 280, 14
- 28)128 — 4, 112, 16
- 52)387 — 7, 364, 23

빈칸에 알맞은 수를 써넣으세요.

- 14)121 — 8, 112, 9
- 17)123 — 7, 119, 4
- 25)132 — 5, 125, 7
- 36)260 — 7, 252, 8
- 29)194 — 6, 174, 20
- 18)120 — 6, 108, 12
- 38)330 — 8, 304, 26
- 43)390 — 9, 387, 3
- 57)257 — 4, 228, 29

P 84 ~ 85

빈칸에 알맞은 수를 써넣으세요.

- 13)808 — 62 / 78 / 28 / 26 / 2
- 23)452 — 19 / 23 / 222 / 207 / 15
- 28)650 — 23 / 56 / 90 / 84 / 6
- 29)543 — 18 / 29 / 253 / 232 / 21
- 12)452 — 37 / 36 / 92 / 84 / 8
- 27)704 — 26 / 54 / 164 / 162 / 2
- 35)574 — 16 / 35 / 224 / 210 / 14
- 18)759 — 42 / 72 / 39 / 36 / 3
- 36)580 — 16 / 36 / 220 / 216 / 4

84 소마셈 – C6

빈칸에 알맞은 수를 써넣으세요.

- 19)465 — 24 / 38 / 85 / 76 / 9
- 22)706 — 32 / 66 / 46 / 44 / 2
- 15)643 — 42 / 60 / 43 / 30 / 13
- 26)895 — 34 / 78 / 115 / 104 / 11
- 16)311 — 19 / 16 / 151 / 144 / 7
- 13)372 — 28 / 26 / 112 / 104 / 8
- 34)784 — 23 / 68 / 104 / 102 / 2
- 28)733 — 26 / 56 / 173 / 168 / 5
- 45)948 — 21 / 90 / 48 / 45 / 3

Drill – 보충학습 85

P 86 ~ 87

2주차 drill

각 자리의 위치를 맞추어 빈칸에 알맞은 수를 써넣으세요.

- 24)298 — 12 / 24 / 58 / 48 / 10
- 29)107 — 3 / 87 / 20
- 27)866 — 32 / 81 / 56 / 54 / 2
- 14)500 — 35 / 42 / 80 / 70 / 10
- 45)870 — 19 / 45 / 420 / 405 / 15
- 11)870 — 79 / 77 / 100 / 99 / 1
- 28)137 — 4 / 112 / 25
- 65)883 — 13 / 65 / 233 / 195 / 38
- 48)256 — 5 / 240 / 16

86 소마셈 – C6

각 자리의 위치를 맞추어 빈칸에 알맞은 수를 써넣으세요.

- 18)514 — 28 / 36 / 154 / 144 / 10
- 23)668 — 29 / 46 / 208 / 207 / 1
- 36)752 — 20 / 72 / 32 / 0 / 32
- 43)283 — 6 / 258 / 25
- 15)524 — 34 / 45 / 74 / 60 / 14
- 30)211 — 7 / 210 / 1
- 27)807 — 29 / 54 / 267 / 243 / 24
- 48)497 — 10 / 48 / 17 / 0 / 17
- 23)100 — 4 / 92 / 8

Drill – 보충학습 87

P 88 ~ 89

나머지가 있는 나누기 두 자리 수 (2)

각 자리의 위치를 맞추어 빈칸에 알맞은 수를 써넣으세요.

6 32)199 192 7	23 18)420 36 60 54 6	20 35)706 70 6 0 6
13 24)334 24 94 72 22	7 27)208 189 19	6 51)331 306 25
19 19)367 19 177 171 6	10 49)512 49 22 0 22	5 19)107 95 12

88 소마셈 – C6

각 자리의 위치를 맞추어 빈칸에 알맞은 수를 써넣으세요.

34 13)454 39 64 52 12	20 28)570 56 10 0 10	9 21)193 189 4
48 16)774 64 134 128 6	6 45)300 270 30	25 27)689 54 149 135 14
24 25)623 50 123 100 23	9 32)289 288 1	15 48)765 48 285 240 45

Drill – 보충학습 89

P 90 ~ 91

빈칸에 알맞은 수를 써넣으세요.

5 24)124 120 4	4 43)175 172 3
22 13)295 26 35 26 9	19 18)346 18 166 162 4
23 26)608 52 88 78 10	12 34)409 34 69 68 1

90 소마셈 – C6

빈칸에 알맞은 수를 써넣으세요.

5 52)267 260 7	8 62)500 496 4
12 37)445 37 75 74 1	14 36)506 36 146 144 2
15 35)528 35 178 175 3	21 17)362 34 22 17 5

Drill – 보충학습 91

나눗셈을 하고, 나눗셈의 계산 결과가 올바른지 검산하여 알아보세요.

```
        3
17 ) 5 2
     5 1
       1
```
검산 17 × 3 + 1 = 52

```
        4
15 ) 6 4
     6 0
       4
```
검산 15 × 4 + 4 = 64

```
        2
24 ) 7 0
     4 8
     2 2
```
검산 24 × 2 + 22 = 70

```
        2
34 ) 9 2
     6 8
     2 4
```
검산 34 × 2 + 24 = 92

```
        2
21 ) 5 8
     4 2
     1 6
```
검산 21 × 2 + 16 = 58

```
        2
36 ) 8 7
     7 2
     1 5
```
검산 36 × 2 + 15 = 87

나눗셈을 하고, 나눗셈의 계산 결과가 올바른지 검산하여 알아보세요.

```
        2 7
15 ) 4 1 5
     3 0
     1 1 5
     1 0 5
       1 0
```
검산 15 × 27 + 10 = 415

```
        2 2
23 ) 5 2 8
     4 6
       6 8
       4 6
       2 2
```
검산 23 × 22 + 22 = 528

```
        1 2
36 ) 4 4 2
     3 6
       8 2
       7 2
       1 0
```
검산 36 × 12 + 10 = 442

```
        1 6
43 ) 7 2 8
     4 3
     2 9 8
     2 5 8
       4 0
```
검산 43 × 16 + 40 = 728

나눗셈을 하고, 나눗셈의 계산 결과가 올바른지 검산하여 알아보세요.

```
        2 9
25 ) 7 3 6
     5 0
     2 3 6
     2 2 5
       1 1
```
검산 25 × 29 + 11 = 736

```
        1 2
37 ) 4 4 5
     3 7
       7 5
       7 4
         1
```
검산 37 × 12 + 1 = 445

```
        2 0
43 ) 8 8 3
     8 6
       2 3
         0
       2 3
```
검산 43 × 20 + 23 = 883

```
        1 2
48 ) 6 1 7
     4 8
     1 3 7
       9 6
       4 1
```
검산 48 × 12 + 41 = 617

P 94 ~ 95

나눗셈을 하고, 나눗셈의 계산 결과가 올바른지 검산하여 알아보세요.

```
        2 0
31 ) 6 4 2
     6 2
       2 2
         0
       2 2
```
검산 31 × 20 + 22 = 642

```
        1 2
28 ) 3 6 0
     2 8
       8 0
       5 6
       2 4
```
검산 28 × 12 + 24 = 360

```
        1 8
19 ) 3 5 2
     1 9
     1 6 2
     1 5 2
       1 0
```
검산 19 × 18 + 10 = 352

```
        1 3
35 ) 4 8 7
     3 5
     1 3 7
     1 0 5
       3 2
```
검산 35 × 13 + 32 = 487

정답

P 96 ~ 97

4주차 drill

나눗셈식 만들기

숫자 카드를 한번씩 사용하여 몫이 가장 클 때의 값을 구해보세요.

2 4 5	54 ÷ 2 = 27
3 6 7	76 ÷ 3 = 25 … 1
8 4 5	85 ÷ 4 = 21 … 1
9 8 5 6	98 ÷ 5 = 19 … 3
2 9 4 3	94 ÷ 2 = 47
6 7 3 8	87 ÷ 3 = 29

96 소마셈 - C6

숫자 카드를 한번씩 사용하여 몫이 가장 클 때의 값을 구해보세요.

5 3 7 8	875 ÷ 3 = 291 … 2
9 6 7 5	976 ÷ 5 = 195 … 1
4 2 7 3	743 ÷ 2 = 371 … 1
4 6 3 8 7	876 ÷ 3 = 292
9 4 8 6 5	986 ÷ 4 = 246 … 2
5 6 9 4 7	976 ÷ 4 = 244

Drill - 보충학습 97

P 98 ~ 99

4주차 drill

숫자 카드를 한번씩 사용하여 몫이 가장 클 때의 값을 구해보세요.

1 2 4 6 7	764 ÷ 12 = 63 … 8
2 0 7 4 8	874 ÷ 20 = 43 … 14
2 9 6 3 5	965 ÷ 23 = 41 … 22
4 7 2 6 8	876 ÷ 24 = 36 … 12
1 9 7 3 5	975 ÷ 13 = 75
8 2 0 4 3	843 ÷ 20 = 42 … 3

98 소마셈 - C6

숫자 카드를 한번씩 사용하여 몫이 가장 클 때의 값을 구해보세요.

2 4 5 8 6	865 ÷ 24 = 36 … 1
4 7 3 1 2	743 ÷ 12 = 61 … 11
3 8 0 9 7	987 ÷ 30 = 32 … 27
5 3 6 2 4	654 ÷ 23 = 28 … 10
1 8 2 4 6	864 ÷ 12 = 72
7 9 4 1 3	974 ÷ 13 = 74 … 12

Drill - 보충학습 99

P 100 ~ 101

숫자 카드를 한번씩 사용하여 몫이 가장 작을 때의 값을 구해보세요.

7 5 6	56 ÷ 7 = 8
2 7 6	26 ÷ 7 = 3 … 5
5 3 4	34 ÷ 5 = 6 … 4
4 6 8 5	45 ÷ 8 = 5 … 5
3 7 2 6	23 ÷ 7 = 3 … 2
5 6 9 8	56 ÷ 9 = 6 … 2

숫자 카드를 한번씩 사용하여 몫이 가장 작을 때의 값을 구해보세요.

1 8 7 3	137 ÷ 8 = 17 … 1
1 7 6 2	126 ÷ 7 = 18
3 6 9 8	368 ÷ 9 = 40 … 8
8 2 5 3 4	234 ÷ 8 = 29 … 2
0 7 6 9 2	206 ÷ 9 = 22 … 8
5 8 6 0 4	405 ÷ 8 = 50 … 5

P 102 ~ 103

숫자 카드를 한번씩 사용하여 몫이 가장 작을 때의 값을 구해보세요.

0 4 3 2 5	203 ÷ 54 = 3 … 41
1 2 3 4 5	123 ÷ 54 = 2 … 15
3 6 2 8 5	235 ÷ 86 = 2 … 63
7 1 4 6 3	134 ÷ 76 = 1 … 58
2 6 8 5 9	256 ÷ 98 = 2 … 60
8 1 4 2 7	124 ÷ 87 = 1 … 37

숫자 카드를 한번씩 사용하여 몫이 가장 작을 때의 값을 구해보세요.

1 3 0 4 9	103 ÷ 94 = 1 … 9
2 5 1 8 6	125 ÷ 86 = 1 … 39
2 4 6 8 9	246 ÷ 98 = 2 … 50
3 7 8 1 9	137 ÷ 98 = 1 … 39
5 2 6 4 7	245 ÷ 76 = 3 … 17
6 7 8 3 0	306 ÷ 87 = 3 … 45

Note